W9-CGT-733
1º ENCONTRO
PRESENTE
NO FUTURO
FUNDAÇÃO
FRANCISCO MANUEL DOS SANTOS

Largo Monterroio Mascarenhas, nº1
1099-081 Lisboa
Telf.: 21 00 15 800
ffms@ffms.pt

Director de publicações: António Araújo

Título: Encontro Presente no Futuro – Os Portugueses em 2030
Autores: Vários

Revisão do texto: João Pedro George
Tradução: Maria Leopoldina Rebelo

Design e paginação: Guidesign
Capa: O Escritório / Mola Ativism
Infografia: View

Impressão e acabamentos: Guide – Artes Gráficas, Lda.

ISBN: 978-989-8424-96-9
Depósito Legal n.º 355 588/13

OS PORTUGUESES em 2030

ÍNDICE

ABERTURA

CENÁRIOS PARA 2030

COMENTÁRIOS

ENTREVISTA

O ENCONTRO

ENVELHECIMENTO E CONFLITO DE GERAÇÕES

ÍNDICE

O ENCONTRO

FAMÍLIAS, TRABALHO E FECUNDIDADE

DESIGUALDADES: POVOAMENTO E RECURSOS

FLUXOS POPULACIONAIS E PROJECTOS DE FUTURO

ABERTURA

O NOSSO PRIMEIRO ENCONTRO

António Barreto
Presidente da Fundação Francisco Manuel dos Santos

Este Encontro foi a primeira grande conferência da Fundação Francisco Manuel dos Santos. Ainda não completámos quatro anos de vida e já temos a ambição de convidar os Portugueses a debater e a preparar o seu futuro.

Dedicámos o Encontro ao tema que nos parecia evidente: a população, os Portugueses! Começámos por nós próprios. Recorremos aos trabalhos de previsão e de projecção da população. Divulgamos os dados a que chegámos e que nos informam sobre o que podemos ser dentro de vinte ou trinta anos. Seremos, em princípio, muito menos do que hoje e, sobretudo, muito mais velhos. Este último dado é bom: quer dizer que vivemos mais, que temos mais esperança de vida. Mas também pode ser mau: o número de velhos, ou de idosos, será muito superior ao de jovens e de adultos de meia-idade. Será esta a sociedade em que queremos viver? Que queremos legar aos nossos filhos e aos nossos netos?

A missão desta Fundação tem, à cabeça, o estudo, a divulgação, a informação, o conhecimento e o debate. Consideramos que o povo português não está devida e suficientemente informado, nem tem oportunidades bastantes para debater os seus problemas e as suas opiniões. Talvez seja esta uma tradição ou um antigo fardo, mas não nos conformamos. Se a nossa primeira preocupação, o nosso objectivo central e o nosso desígnio fundamental é a liberdade, também sabemos que a informação, a opinião independente e o debate público são condições e instrumentos de liberdade. É para isso que queremos colaborar. Porque não acreditamos que as autoridades e as forças políticas sejam suficientes para proteger a liberdade. E parece até que as instituições políticas não estão à altura da gravidade dos problemas, das carências dos Portugueses e da procura de soluções. Por isso temos a certeza de que devemos contribuir.

Sei, sabemos que os Portugueses estão preocupados. Inquietos. Por vezes até aflitos. Vivem um dos momentos mais difíceis da nossa história recente, uma das mais sérias crises sociais e económicas. Muitos não sabem como vão viver amanhã, em 2014. Mesmo assim, queremos antever várias décadas! Parece irónico, mas não é. Partimos do princípio de que as melhores soluções, mesmo para os problemas do dia, são as que forem pensadas com profundidade, com participação e com conhecimento ou informação.

Mais ainda, as decisões tomadas hoje vão moldar o país que teremos em 2030. Nas migrações, por exemplo. Na habitação e no urbanismo. Na organização da educação e da formação profissional. O que fizermos hoje, como e quando, não terá apenas efeitos nos défices, nos rendimentos ou na segurança de amanhã ou depois. Será o princípio do que seremos dentro de décadas.

Se não soubermos cuidar hoje da informação, do debate, da opinião livre e da coesão social, então perderemos mais tarde o bem mais precioso: a liberdade de escolha.

PENSAR O FUTURO. EM LIBERDADE

Maria João Valente Rosa
Presidente do Conselho Científico do *Encontro Presente no Futuro – Os Portugueses em 2030*

A "População" foi escolhida como tema para o primeiro encontro promovido pela Fundação Francisco Manuel dos Santos – "Presente no Futuro: os Portugueses em 2030" – porque os assuntos populacionais não interessam apenas aos demógrafos ou aos cientistas sociais, mas envolvem-nos a todos: nós fazemos da População aquilo que ela é. O fascínio das questões demográficas reside, precisamente, na possibilidade de compreender o modo como as decisões e os comportamentos que consideramos individuais, por vezes íntimos, como casar, ter filhos ou emigrar, constituem uma força silenciosa com profundo impacto nas características da sociedade em que vivemos. Do mesmo modo, a população muda porque a sociedade também se modifica. Pensar sobre a sociedade, imaginá-la e construí-la, significa, assim, conhecer e debater o que somos, o que queremos e poderemos ser no futuro. Contrariando a ideia de destino, assumimos, no presente, um papel activo na definição do que o futuro será.

No encontro "Presente no Futuro", a partir de tendências em curso e de cenários para 2030, os debates prolongaram-se em torno de quatro áreas temáticas: "Envelhecimento e conflito de gerações",

"Famílias, trabalho e fecundidade", "Desigualdades de povoamento e recursos", "Fluxos populacionais e projetos de futuro". Foram várias as perguntas que deram o mote à reflexão: O envelhecimento é inimigo do Estado social? O envelhecimento torna as sociedades mais resistentes à mudança? O conflito de gerações é inevitável? As famílias estão em crise? Temos menos filhos porque estamos a empobrecer e somos mais egoístas? O trabalho é compatível com a paternidade/maternidade? Vive-se melhor nas cidades? O interior está em risco de desaparecer? A população abusa dos recursos disponíveis? A emigração é um infortúnio? A imigração põe em risco a segurança e a identidade? O futuro é uma fatalidade? Em paralelo, aconteceram sessões dedicadas à análise demográfica das características e das tendências da mortalidade, da fecundidade, do envelhecimento, das migrações, entre outras.

Em vez de procurar encontrar respostas prontas para essas perguntas, ou soluções mais ou menos milagrosas, o Encontro deixou como marca a vontade de reflectir com coragem e de forma séria sobre as aparentes certezas e pré-conceitos que tantas vezes condicionam a nossa liberdade de acção e nos limitam a capacidade de resposta adequada às exigências do presente e do futuro.

Seria absurdo tentar fazer uma síntese final de todas as ideias, experiências, propostas e reflexões que deram conteúdo aos dois dias do Encontro. Mas seria também uma pena não deixar registado muito do que nesse momento se pensou e disse.

Para além dos documentos previamente preparados, como os "Cenários da população para 2030" ou o repositório de informações sobre dinâmicas recentes da sociedade portuguesa, este livro inclui textos com a assinatura de muitos dos participantes, oriundos das mais variadas áreas: demógrafos, sociólogos, geógrafos, economistas, físicos, médicos, juristas, artistas, historiadores, empresários, jornalistas, entre tantos outros. Os relatores foram convidados a sintetizar o que ouviram, os moderadores a dar nota de algumas ideias, dos debates que acompanharam e que gostariam de destacar, e os oradores a escrever um texto que pudesse sintetizar a sua reflexão. São registos necessariamente breves, mas que espelham bem a riqueza de pensamentos em torno de uma tão ampla diversidade de discussões sobre a nossa sociedade.

Foi assim possível, na sequência desta iniciativa, agregar um conjunto de documentos sobre o que somos e, acima de tudo, reunir muitas ideias inspiradoras para continuar a pensar o presente e o futuro da população e da sociedade portuguesas. Um conjunto de trilhos para se continuar o debate, partindo de ideias informadas sobre o presente, a fim de construir o futuro e evitar que este nos apanhe de surpresa.

CENÁRIOS para 2030

PROJECÇÕES 2030 E O FUTURO

Maria Filomena Mendes, Maria João Valente Rosa
Demógrafas

1. Nota inicial

A população não se fixa no tempo, tem movimento, está em permanente alteração, vai adquirindo novas configurações. As alterações na demografia são consequência de várias causas.

1.º

Das características intrínsecas da população actual (por exemplo, a maioria das pessoas que existirão daqui a 20 anos já é hoje nascida e será 20 anos mais velha).

2.º

Dos nascimentos entretanto ocorridos e que estão na origem dos futuros jovens. Essa quantidade de nascimentos é resultado dos níveis de fecundidade e da estrutura etária da população feminina no período fértil, ou seja, do número médio de filhos por mulher (índice sintético de fecundidade – ISF) e da existência de mais ou menos mulheres nas idades férteis (15-49 anos) e, dentro destas, nas idades mais férteis (20-29 anos).

3.º

Dos óbitos entretanto verificados e que são o resultado dos níveis de mortalidade e da estrutura etária da população, ou seja, da probabilidade de morte nas várias idades (a qual pode ser traduzida em valores de esperança de vida) e do número de pessoas que integram as várias idades, em especial nas idades superiores.

4.º

Dos fluxos migratórios, ou seja, das entradas (imigrantes) e saídas (emigrantes) de pessoas da população em análise.

Entre os quatro elementos identificados, o mais incerto é o último: os fluxos migratórios. Por um lado, pelos baixos níveis de cobertura e registo das deslocações das pessoas, assim como pela deficiente qualidade dos apuramentos de entradas e saídas do território nacional. Por outro lado, os fluxos migratórios são uma componente muito inconstante, dificilmente respeitando tendências no tempo, estando ligados de forma profunda a factores instáveis e dificilmente previsíveis (sobretudo económicos e políticos) tanto nacionais como internacionais, para já não falar de decisões administrativas e políticas (criação de quotas de imigração, factos excepcionais de carácter político ou humanitário, etc.).

Tentar prever a população possível no futuro permite às pessoas conhecerem-se melhor e compreenderem as implicações das suas decisões, pois o futuro também se constrói. E daí este exercício de elaboração de cenários demográficos prospectivos para Portugal até 2030. Através deles pretende-se não só antecipar o impacto de algumas alternativas possíveis e que dizem respeito aos comportamentos demográficos, como também trazer para o presente algumas certezas sobre o futuro, para uma mais consciente adaptação da sociedade ao curso dos factos. Pretende-se, assim, com estes resultados, dar elementos para uma mais sustentada reflexão e uma mais informada discussão sobre as tendências populacionais em curso.

Imaginar a população possível no futuro não é um exercício de adivinhação nem uma profecia. Aliás, as margens de erro associadas às projecções demográficas de curto e médio prazo não são tão elevadas quanto as que existem, por exemplo, noutras áreas, como a economia, marcadas por flutuações conjunturais. Essas baixas margens de erro (essencialmente quando o tempo futuro das projecções é próximo) são explicadas pelo facto de parte da população do futuro já hoje existir. Também as incertezas em relação à evolução futura da mortalidade e da fecundidade não são totais, pois esses comportamentos inscrevem-se em tendências pesadas: não é expectável que, por exemplo, os níveis de mortalidade aumentem significativamente ou que se regresse a uma situação de descendências numerosas. Mas, mesmo que tal acontecesse, os reflexos dessas alterações não seriam imediatos. Por exemplo, se os níveis de fecundidade aumentarem de forma significativa, o número de nascimentos poderá não aumentar no curto prazo (caso os progenitores sejam menos que os da geração dos seus pais) e o número de pessoas em idades avançadas não irá variar, já que essa mudança só implica com uma parte da população (a mais jovem). O maior factor de erro em demografia prospectiva, mesmo para momentos próximos, advém dos movimentos migratórios. Estas caracterizam-se pela sua baixa previsibilidade. Embora esta componente possa influenciar decisivamente, no imediato, a configuração da população e mesmo inverter ou desacelerar o ritmo com que certas tendências demográficas se manifestam, os fluxos migratórios não foram considerados no presente exercício que destaca o inevitável em demografia. Ou antes, o que é quase inevitável, isto é, as tendências fortes mais visíveis.

A partir da utilização de metodologias prospectivas sólidas (método das componentes por coortes), apresentam-se três cenários. As diversas características dos cenários previstos para 2030 são exclusivamente devidas às diferentes hipóteses em que se basearam e que apenas têm em conta a fecundidade e a esperança de vida.

Embora os cenários tenham 2030 como ano alvo, apresentam-se, ainda, os resultados indicativos para 2050, visando extremar no tempo o efeito de determinados comportamentos. Como é evidente, as precauções indispensáveis quanto às projecções para 2030 são ainda mais severas e drásticas para as projecções até 2050.

A leitura dos resultados dos cenários deverá ser condicional, isto é: "se... então...". Os "se" são as hipóteses e os "então" os resultados possíveis.

2. Os "se"

Cenário 0

O primeiro "se" considera que, entre 2010 e 2030 e entre 2030 e 2050, tudo restaria como hoje, sem alterações, em termos de fecundidade e de um número médio de filhos por mulher de 1,37 (ISF – índice sintético de fecundidade) e uma esperança de vida à nascença de 76,4 anos para os homens e de 82,3 anos para as mulheres.

Comentário:

O interesse deste cenário é essencialmente pedagógico. Pretende ilustrar os efeitos dos comportamentos actuais de fecundidade e de mortalidade sobre a dinâmica e as cracterísticas da população, imaginando que nada se alteraria, o que não é expectável.

Cenário 1

O segundo "se" considera um aumento dos níveis de fecundidade – atingindo os 2,0 filhos por mulher em 2030 e os 2,1 filhos em 2050 (limiar da substituição de gerações). Assim como um aumento da idade de mortalidade: a esperança de vida à nascença dos homens passaria dos actuais 76,4 anos para 80 anos (em 2030 e 2050) e a esperança de vida das mulheres passaria dos actuais 82,3 anos para 86 anos (em 2030 e 2050).

Comentários:

1. A evolução assumida para a **mortalidade** é expectável, pois sabemos que ainda se está longe do limite da longevidade humana e, como tal, é possível esperar que se continuem a observar ganhos de vida nas

próximas décadas. Esses ganhos são, apesar de tudo, inferiores aos observados nas últimas duas décadas (de 1990 a 2010, o acréscimo em anos da esperança de vida em Portugal cifrou-se em 5,8 anos para os homens e em 4,8 anos para as mulheres), pois sabemos que quanto mais elevada é a esperança de vida mais ténues são os ganhos médios de vida. Os valores que se assumiram como objectivo em 2030 não são irrealistas, estão próximos, aliás, dos níveis de esperança de vida à nascença verificados em países como o Japão, Suécia (homens) e Espanha ou França (mulheres).

2. A evolução da **fecundidade** pode ser considerada "optimista". Em Portugal, desde 1982, que o número médio de filhos está abaixo da substituição de gerações (ou seja, 2,1 filhos por mulher). Não é expectável que, até 2030, o índice aumente assim tão significativamente, atingindo um valor próximo de 2,1 filhos. O interesse desta hipótese é, acima de tudo, de avaliação dos eventuais reflexos que um forte aumento dos níveis de fecundidade teria na evolução futura da população. Poderíamos antecipar, por exemplo, se a população deixaria de envelhecer no caso de se verificar um aumento significativo dos níveis de fecundidade.

Cenário 2 (o mais plausível)

O terceiro "se" considera um aumento mais moderado dos níveis de fecundidade, atingindo os 1,6 filhos em 2030 e em 2050. Mas, para a mortalidade, utilizámos valores iguais ao cenário anterior: a esperança de vida à nascença dos homens passaria dos actuais 76,4 anos para 80 anos (em 2030 e 2050) e a das mulheres passaria dos actuais 82,3 anos para 86 anos (em 2030 e 2050).

Comentários:

1. As hipóteses de mortalidade são idênticas às do cenário anterior (ver comentário b.1)
2. A hipótese de fecundidade é plausível atendendo à experiência de outros países, sobretudo do Norte e Centro da Europa, que

iniciaram o processo de transição de modelo de fecundidade mais cedo que Portugal. Em muitos desses países, os níveis de fecundidade, após quebras significativas, voltaram a subir (mas nunca regressando a níveis de fecundidade superiores a 2,1 filhos por mulher). Além das questões relacionadas com os ambientes sociais ou culturais mais favoráveis à procriação, existe uma razão técnica que explica, em parte, o aumento da fecundidade (traduzida nos valores do ISF). Esta tem que ver com a alteração do padrão de fecundidade: passagem de uma fecundidade mais precoce para uma mais tardia. Na fase de transição em que nos encontramos, os níveis de fecundidade atingem valores muito baixos parcialmente explicados pelo facto de as mulheres mais velhas, que tinham um modelo de fecundidade precoce, já terem tido os seus filhos e as mulheres mais jovens, que já seguem um modelo de fecundidade mais tardia, ainda não os terem tido. Assim, as mulheres mais jovens, que adiaram o seu projecto de maternidade, quando atingirem as idades mais maduras terão provavelmente os filhos que projectaram para mais tarde, do que poderá resultar um aumento do ISF por comparação ao observado na fase de transição (de passagem de fecundidade precoce para tardia).

3. Os "então"

[Sem a influência dos movimentos migratórios]

A

A população de Portugal diminuirá, podendo não ultrapassar os 10 milhões em 2030. Portugal poderá contar com menos meio milhão de pessoas que actualmente, o mesmo número de habitantes nos próximos vinte anos que há duas décadas (em 1991, a população de Portugal era de 9 867 147). Esse decréscimo populacional será tanto maior quanto menor for o nível de fecundidade. Mas, mesmo que a fecundidade aumente, a população não deixará de diminuir.

B

A população de Portugal continuará a registar mais óbitos que nascimentos, mesmo que os níveis de fecundidade aumentem. Esse défice poderá atingir, em 2030, o dobro ou mais ainda do saldo (negativo) que foi observado em 2011 (-6 mil).

C

Entre 2010 e 2030, o número de pessoas nas idades jovens e activas até aos 50 anos poderá diminuir. Paralelamente, a **população com mais de 50 anos** deverá aumentar, não só em termos absolutos como relativos e poderá **representar quase metade da população** em 2030 (em 2010 representa 38 por cento). Por outro lado, **uma em cada quatro pessoas poderá ter 65 e mais anos em 2030** (em 2010, Portugal já é um dos países mais envelhecidos do mundo, pois uma em cada cinco pessoas tem 65 e mais anos).

D

Em 2030, a população de Portugal será ainda mais envelhecida que actualmente, mesmo admitindo um aumento significativo dos níveis de fecundidade. **O número de pessoas com 65 e mais anos poderá, em 2030, ser o dobro do número de pessoas com menos de 15 anos e atingir quase o triplo em 2050**. É o contrário do que existia em 1981: nesse momento, o número de jovens representava o dobro da população com 65 e mais anos. Mesmo com um aumento significativo dos níveis de fecundidade, o número de pessoas com 65 e mais anos por cada 100 com menos de 15 anos poderá ser superior a 180 em 2030, quando em 2010 é de 128.

E

Em 2030, poderá haver duas pessoas com 65 e mais anos por cada cinco em idade activa, mesmo que os níveis de fecundidade aumentem **(o valor em 2010 é de dois idosos por cada sete pessoas em idade activa). Por outras palavras, os idosos poderão representar quase metade da população activa.**

4. Cenários demográficos 2030

CENÁRIO 0

Considera que, entre 2010 e 2030, tudo estaria como hoje, sem alterações, em termos de fecundidade e de mortalidade.

POPULAÇÃO TOTAL

A população de Portugal diminuirá, podendo não ultrapassar os 10 milhões em 2030.

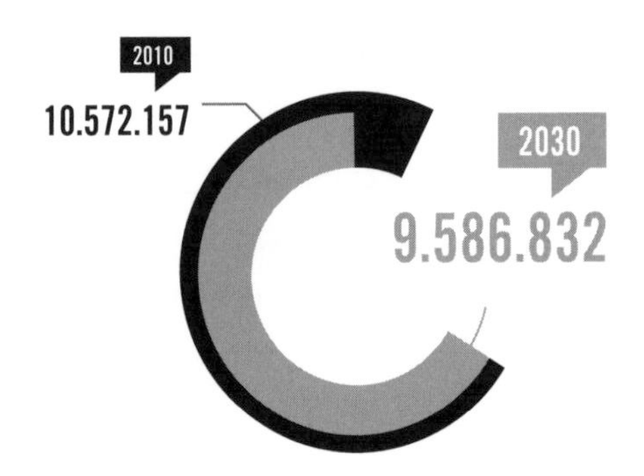

POPULAÇÃO POR GRUPOS ETÁRIOS

Em 2030 o número de jovens poderá diminuir e o de idosos aumentar.

1.144.671
JOVENS 0-14 ANOS
EM 2010 ERAM 1.575.900

2.438.016
IDOSOS 65+ ANOS
EM 2010 ERAM 2.014.862

12% JOVENS

63% ADULTOS

25% IDOSOS

Nº de idosos por cada 100 pessoas em idade activa:

EM 2030 SERÃO 41

EM 2010 ERAM 29

ESPERANÇA DE VIDA

76,4 ANOS

82,3 ANOS

FECUNDIDADE

1,37 FILHOS

CENÁRIO 1

Considera, entre 2010 e 2030, um aumento significativo dos níveis de fecundidade e uma diminuição dos níveis de mortalidade.

POPULAÇÃO TOTAL

A população de Portugal diminuirá, podendo ser próxima de 10 milhões em 2030.

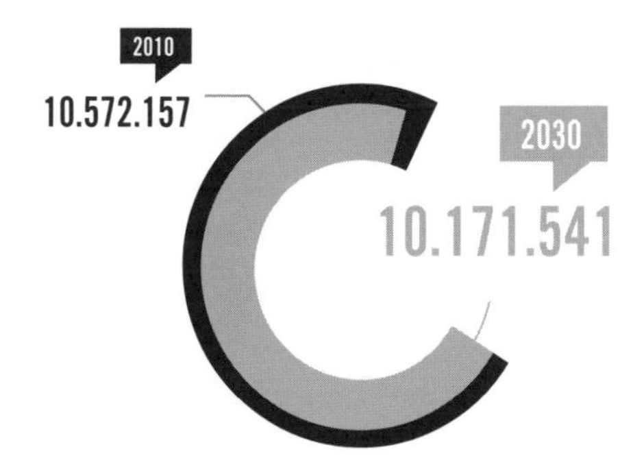

POPULAÇÃO POR GRUPOS ETÁRIOS

Em 2030 o número de jovens poderá diminuir e o de idosos aumentar.

1.458.468
JOVENS 0-14 ANOS
EM 2010 ERAM 1.575.900

2.655.743
IDOSOS 65+ ANOS
EM 2010 ERAM 2.014.862

14% JOVENS

60% ADULTOS

26% IDOSOS

Nº de idosos por cada 100 pessoas em idade activa:

EM 2030 SERÃO 44

EM 2010 ERAM 29

ESPERANÇA DE VIDA

80,0 ANOS

86,0 ANOS

FECUNDIDADE

2,0 FILHOS

CENÁRIO 2

Considera, entre 2010 e 2030, um ligeiro aumento dos níveis de fecundidade e uma diminuição dos níveis de mortalidade.

POPULAÇÃO TOTAL

A população de Portugal diminuirá, podendo não ultrapassar os 10 milhões em 2030.

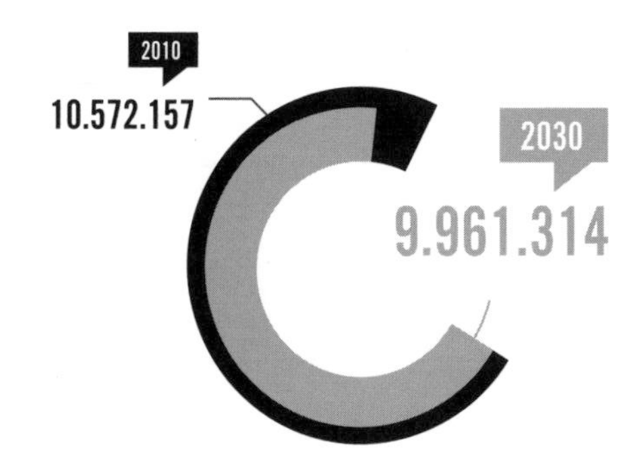

POPULAÇÃO POR GRUPOS ETÁRIOS

Em 2030 o número de jovens poderá diminuir e o de idosos aumentar.

1.261.238
JOVENS 0-14 ANOS
EM 2010 ERAM 1.575.900

2.655.743
IDOSOS 65+ ANOS
EM 2010 ERAM 2.014.862

13% JOVENS

60% ADULTOS

27% IDOSOS

Nº de idosos por cada 100 pessoas em idade activa:

EM 2030 SERÃO 44 | EM 2010 ERAM 29

ESPERANÇA DE VIDA

FECUNDIDADE

Cenário 0 (MO&FO)	2010	2030	2050
População Total	10.572.157	9.586.832	7.885.329
Homens (H)	5.054.330	4.572.849	3.757.976
Mulheres (M)	5.517.827	5.013.983	4.127.353
0 - 14 anos (J - Jovens)	1.575.900	1.144.671	883.009
15 - 24 anos (Adultos mais jovens)	1.148.690	935.752	698.120
25 - 64 anos (Adultos menos jovens)	5.832.705	5.068.394	3.792.898
65+ anos (Idosos)	2.014.862	2.438.016	2.511.302
% Mulheres	52,2	52,3	52,3
% Jovens (0-14)	14,9	11,9	11,2
% Adultos (15-64)	66,0	62,6	57,0
% Idosos (65+)	19,1	25,4	31,8
% 50+ anos	38,2	48,6	51,9
Indice Envelhecimento (I/J*100)	127,9	213,0	284,4
Indice de Longevidade (85+/65+*100)	11,7	12,2	14,4
Relação Dependência Total ((J+I)/A*100)	51,4	59,7	75,6
Relação Dependência Jovem (J/A*100)	22,6	19,1	19,7
Relação Dependência Idosos (I/A*100)	28,9	40,6	55,9
Tx Bruta Natalidade (‰)	9,6	7,4	6,7
Tx Bruta Mortalidade (‰)	10,0	14,4	18,9
Indice Sintético Fecundidade	1,37	1,37	1,37
Esperança de vida à nascença H (anos)	76,4	76,4	76,4
Esperança de vida à nascença M (anos)	82,3	82,3	82,3

Parâmetros: Fecundidade de 1,37 filhos; esperança de vida à nascença de 76,4 anos (H) e de 82,3 anos (M)

População 31/12/2010 (10,6 milhões)

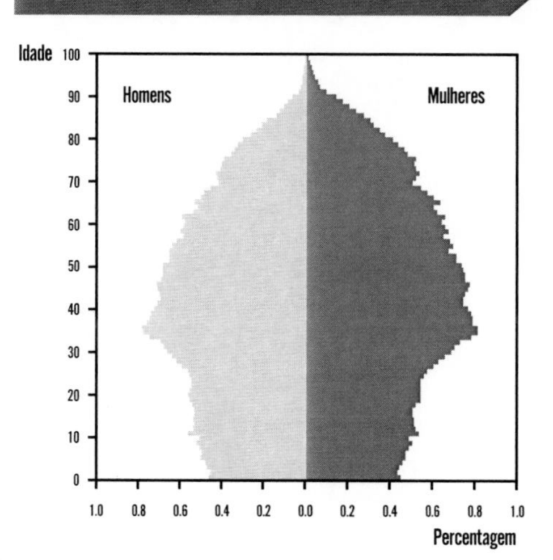

População 2030 (9,6 milhões) Cenário MO&FO

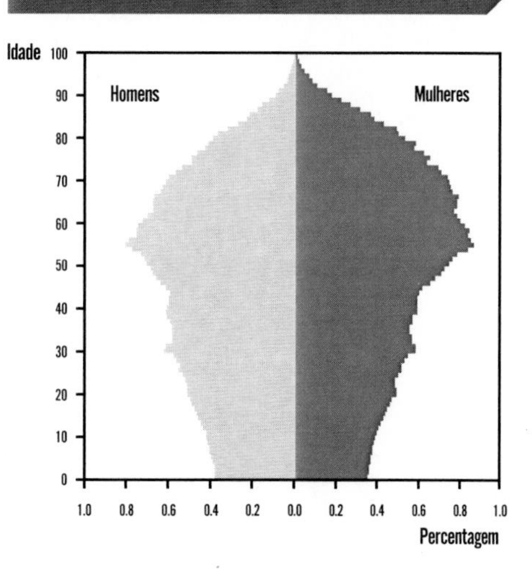

Cenário 1 (M1&F1)	2010	2030	2050
População Total	10.572.157	10.171.541	9.381.545
Homens (H)	5.054.330	4.872.808	4.525.053
Mulheres (M)	5.517.827	5.298.733	4.856.492
0 - 14 anos (J - Jovens)	1.575.900	1.458.468	1.445.178
15 - 24 anos (Adultos mais jovens)	1.148.690	957.802	1.005.218
25 - 64 anos (Adultos menos jovens)	5.832.705	5.099.528	4.025.887
65+ anos (Idosos)	2.014.862	2.655.743	2.905.262
% Mulheres	52,2	52,1	51,8
% Jovens (0-14)	14,9	14,3	15,4
% Adultos (15-64)	66,0	59,6	53,6
% Idosos (65+)	19,1	26,1	31,0
% 50+ anos	38,2	48,2	48,2
Indice Envelhecimento (I/J*100)	127,9	182,1	201,0
Indice de Longevidade (85+/65+*100)	11,7	14,0	17,9
Relação Dependência Total ((J+I)/A*100)	51,4	67,9	86,5
Relação Dependência Jovem (J/A*100)	22,6	24,1	28,7
Relação Dependência Idosos (I/A*100)	28,9	43,8	57,7
Tx Bruta Natalidade (‰)	9,6	10,0	10,3
Tx Bruta Mortalidade (‰)	10,0	11,8	15,8
Indice Sintético Fecundidade	1,37	2,0	2,1
Esperança de vida à nascença H (anos)	76,4	80,0	80,0
Esperança de vida à nascença M (anos)	82,3	86,0	86,0

Parâmetros: Fecundidade de 2,0 filhos (2030) e 2,1 filhos (2050); esperança de vida à nascença de 80,0 anos (H) e de 86,0 anos (M)

População 31/12/2010 (10,6 milhões)

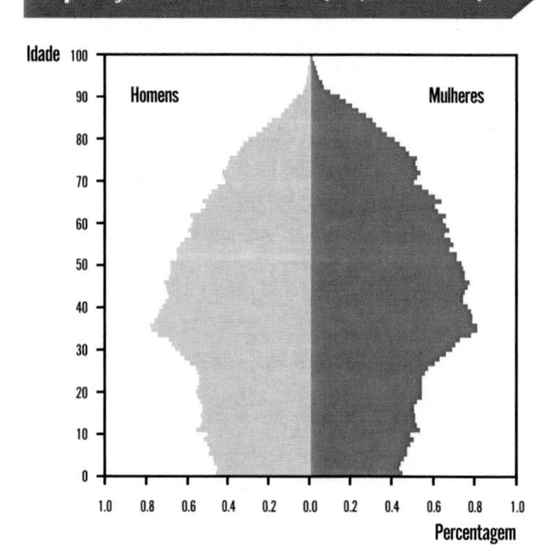

População 2030 (10,0 milhões) Cenário M1&F1

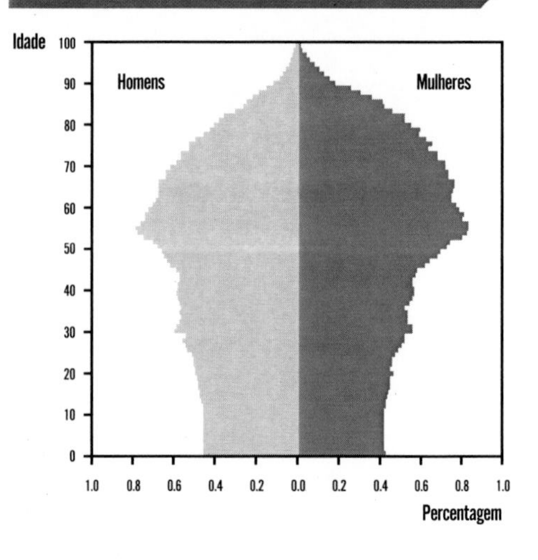

Cenário 2 (M1&F2)	2010	2030	2050
População Total	10.572.157	9.961.314	8.690.945
Homens (H)	5.054.330	4.765.129	4.171.415
Mulheres (M)	5.517.827	5.196.185	4.519.529
0 - 14 anos (J - Jovens)	1.575.900	1.261.238	1.068.494
15 - 24 anos (Adultos mais jovens)	1.148.690	944.805	811.598
25 - 64 anos (Adultos menos jovens)	5.832.705	5.099.528	3.905.590
65+ anos (Idosos)	2.014.862	2.655.743	2.905.262
% Mulheres	52,2	52,2	52,0
% Jovens (0-14)	14,9	12,7	12,3
% Adultos (15-64)	66,0	60,7	54,3
% Idosos (65+)	19,1	26,7	33,4
% 50+ anos	38,2	49,2	52,0
Indice Envelhecimento (I/J*100)	127,9	210,6	271,9
Indice de Longevidade (85+/65+*100)	11,7	14,0	17,9
Relação Dependência Total ((J+I)/A*100)	51,4	64,8	84,2
Relação Dependência Jovem (J/A*100)	22,6	20,9	22,7
Relação Dependência Idosos (I/A*100)	28,9	43,9	61,6
Tx Bruta Natalidade (‰)	9,6	8,2	7,6
Tx Bruta Mortalidade (‰)	10,0	16,1	22,3
Indice Sintético Fecundidade	1,37	1,6	1,6
Esperança de vida à nascença H (anos)	76,4	80,0	80,0
Esperança de vida à nascença M (anos)	82,3	86,0	86,0

Parâmetros: Fecundidade de 1,6 filhos; esperança de vida à nascença de 80,0 anos (H) e de 86,0 anos (M)

População 31/12/2010 (10,6 milhões)

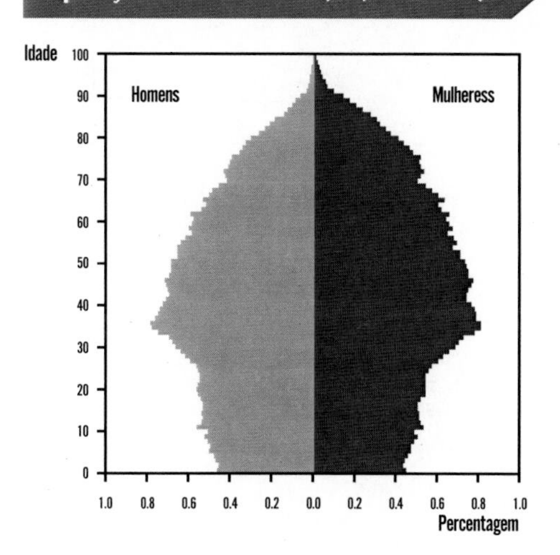

População 2030 (10,0 milhões) Cenário M1&F2

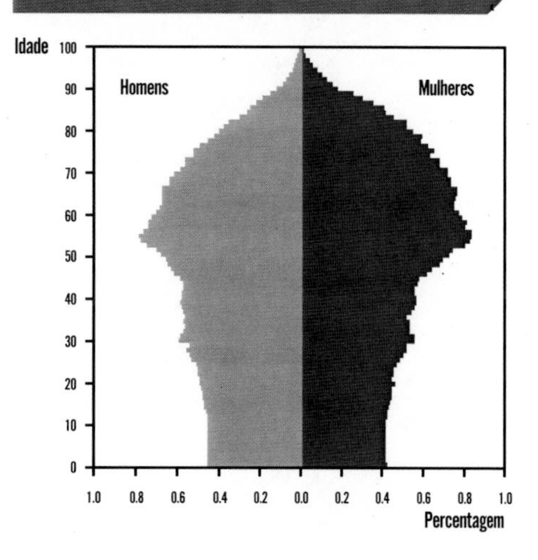

CENÁRIOS para 2030
COMENTÁRIOS

CENÁRIO ZERO: OUTRO JOGO DE GERAÇÕES?

Ana Nunes de Almeida
Professora do Instituto de Ciências Sociais da Universidade de Lisboa

1.

Ao contrário do que muitas vezes pensamos, dados e números não falam por si. Na verdade, os «dados» nunca o são... há, sim, resultados construídos em função de um exercício intelectual, de uma certa maneira de olhar para a realidade e dos critérios que os sustentam. Tal e qual se passa com os «dados» demográficos. A primeira coisa a fazer é, pois, tomar distância e perceber que escolhas estão por trás de números, índices e taxas.

2.

Os três cenários prospectivos atribuem um papel de primeira grandeza à fecundidade e à esperança de vida. Não considerar a componente migratória traz porém riscos à navegação: a saída em massa de jovens para o estrangeiro, a que assistimos actualmente (e que tudo leva a crer se intensificará nos próximos anos) – homens e mulheres, em plena idade de procriar, altamente qualificados e profissionalmente activos – não pode deixar de vir a ter um impacto expressivo na demografia portuguesa das próximas décadas. Tanto mais que esta fuga não é compensada por fluxos de entrada equivalentes – nem em quantidade, nem em qualidade, nem em padrão de fecundidade.

3.

A demografia não constitui, por outro lado, um recanto imune à mudança social, em sentido mais lato. Em sociedades de risco como aquelas em que vivemos, embaladas em processos de grande instabilidade e turbulência, qualquer previsão demográfica pode falhar pela irrupção de factores provenientes de outros recantos do tecido social. O crescimento exponencial das taxas de desemprego e dos empregos precários, as novas formas de pobreza, o desmembramento do Estado social ou do próprio projecto europeu são exemplos dessas ameaças exteriores que podem trazer perturbações bruscas e brutais nos comportamentos demográficos dos portugueses nos próximos 20 anos.

4.

Dos três cenários apresentados, apenas o Cenário 0 me parece ajustado... Será irrealista prever o aumento do número de filhos por mulher para níveis de 1.6 ou 2.0 – quando entrámos em queda vertiginosa desde a década de 1970, quando em 2010 estávamos nos 1.37, quando Portugal se integra no grupo de países da UE com os valores mais baixos de fecundidade, e apenas 12 países da UE 27 apresentaram, em 2009, taxas iguais ou superiores a 1.6 (e 4 igual ou acima de 2.0).

5.

Admitindo, com optimismo, que o índice sintético de fecundidade se mantém nos níveis actuais, sairão reforçadas tendências já hoje detectadas. Desde logo, um acentuadíssimo envelhecimento da população portuguesa: muito menos crianças, menos jovens e adultos, muito mais idosos (sobretudo mulheres). Uma impressionante relação de dependência dos idosos surge com toda a clareza. Nas famílias, cuja dimensão continuará a diminuir, cresce a percentagem de casais sem filhos, e, sobretudo, a percentagem de filhos únicos. A tradicional proporção aritmética entre gerações fica invertida: há mais avós (4) do que pais (2) ou filhos (1). Os laços geracionais, de sentido vertical, tomam o exclusivo sobre os laços colaterais. As crianças crescem entre adultos na família, entre pares na escola; mas perdem experiências e contextos de socialização com irmãos, primos ou tios. De que modalidades se revestirá o jogo entre gerações, dentro e fora da família, tão decisivo no desenho e construção do futuro? Eis um tema em aberto para o Colóquio «Presente no Futuro».

CENÁRIOS, PREVISÕES E POLÍTICAS

António Barreto
Sociólogo, Presidente da Fundação Francisco Manuel dos Santos

Os cenários demográficos para 2030 (e, acessoriamente, para 2050), apresentados por Maria Filomena Mendes e Maria João Valente Rosa, são de enorme interesse. Muitos julgávamos que já sabíamos tudo o que lá se diz e escreve. Apesar disso, estas previsões são fonte de grande surpresa e preocupação.

Dentro de 20 ou 30 anos, teremos a oportunidade de conferir com a realidade e chegaremos à conclusão de que estes cenários não se verificaram ou que, pelo contrário, acertaram. Ambas as situações são possíveis e em nada alteram o valor deste exercício.

As projecções servem para identificar tendências recentes e futuras. São igualmente úteis para determinar o que, salvo acontecimentos históricos importantes (epidemias, guerras, migrações em massa, factos políticos excepcionais, descobertas económicas relevantes, etc.), aconteceria à população se esta ficasse entregue exclusivamente às suas próprias dinâmicas demográficas.

O valor de uma projecção não reside, assim, na capacidade de previsão e certeza, mas na demonstração do possível. Sabemos quais são os limites (altos e baixos) da evolução provável. Ficámos a saber o que, sem a intervenção das políticas e sem a ocorrência de acontecimentos imprevisíveis, poderá ser a população portuguesa dentro de duas a quatro décadas. Temos uma ideia das hipóteses para as quais necessitamos de nos preparar. Poderemos melhor dizer o que queremos ser ou o que desejamos evitar.

Sem migrações, a população portuguesa poderá ser de menos de oito milhões de cidadãos a quase dez milhões e meio. Em princípio, será igual ou muito menor do que actualmente. É provável que a natalidade e a fecundidade não sejam superiores aos valores de hoje. A parte idosa da população (mais de 50, mais de 65 e mais de 80 anos) continuará a aumentar. O grupo dos mais de 65 anos poderá em breve ser mais de um terço da população (hoje, não chega a 20 por cento).

A sociedade em que viveremos, dentro de 20 ou 40 anos, será muito diferente da que hoje conhecemos. Como as mudanças são aparentemente lentas e graduais («todos os anos muda um bocadinho»...), não chegamos bem a dar-nos conta. Mas sabemos já que não vai ser frequente encontrarmos crianças e adolescentes; que a maior parte da população terá mais de 50 anos; que as famílias continuarão a ter, em média, pouco mais de um filho por casal; que o interior e as zonas rurais do país estarão certamente muito mais abandonados e despovoados; que um grande número das escolas básicas actuais e muitas secundárias terão fechado; que várias universidades terão talvez de encerrar; que vai ser necessário construir mais centros de saúde, mais hospitais e mais escolas nas áreas metropolitanas e no litoral, enquanto deverão fechar muitas dessas instituições no interior; que as necessidades em medicina geriátrica e em cuidados paliativos serão muito maiores; que haverá muitas mais instituições públicas e privadas especializadas no acolhimento de idosos a viverem sozinhos; e que os agregados familiares terão, em média, duas pessoas ou menos. E sabemos também que o mais provável é que o Estado de protecção social conheça sérias dificuldades, dado que o número de activos contribuintes para a Segurança Social será mais ou menos igual ao de pensionistas. Essa relação, que seria de 1 para 1, é hoje de 1,7 para 1, o que já é fonte de preocupação e caso raro no mundo ocidental. Verificaremos, em 2030, se são ou não inúteis muitos dos investimentos que hoje se fazem em grande parte do país sem uma previsão ou uma consciência mais clara do que será a população nessas áreas.

Aparentemente aterradora, esta evolução é possível e tem algum grau de probabilidade. Mas, como disse acima, a realidade poderá ser diversa da previsão. Por si só, as migrações, de estrangeiros para Portugal ou de Portugueses para o estrangeiro, poderão alterar o panorama «projectado». O destino da União Europeia e as soluções financeiras, económicas e políticas que esta venha a encontrar terão também influência indiscutível sobre o nosso futuro. A evolução da economia mundial e o futuro enquadramento do comércio internacional terão seguramente consequências indeléveis na demografia portuguesa.

Sobretudo, as políticas públicas portuguesas (e europeias...) terão enorme importância. Desde que coerentes e não, como até agora, contraditórias. Não é recomendável tomar medidas natalistas hoje, antinatalistas amanhã. Não é do interesse nacional favorecer, por um lado, as grandes famílias e, por outro, encorajar as famílias monoparentais. Não é razoável fomentar a natalidade com a fiscalidade e encorajar o divórcio com a segurança social. Ou vice-versa! Nem é saudável encorajar e desencorajar, ao mesmo tempo, a política de integração e a de naturalização de estrangeiros. Como não é inteligente ter uma política da nacionalidade com pouco fundamento económico e social.

As políticas públicas são decisivas. Uma vez mais, desde que coerentes e que não contrariem os efeitos umas das outras. A criação de emprego, as obras públicas, as regras administrativas e políticas relativas às migrações e à naturalização, a fiscalidade, a política de saúde e de segurança social e o urbanismo decidirão muito do que os Portugueses serão. Por isso, é de capital importância que saibamos mais sobre nós próprios. Que nos seja possível pensar melhor no que queremos ser. Que tenhamos consciência do possível, a fim de traçarmos o que é provável. Chama-se a isso liberdade!

POPULAÇÃO E ESTADO SOCIAL: DEMOGRAFIA CONTRA SEGURANÇA SOCIAL

Fernando Ribeiro Mendes
Economista, Instituto Superior de Economia e Gestão/Universidade Técnica de Lisboa

Breve reflexão sobre os cenários demográficos 2010-2050 para Portugal

1. Pressupostos e resultados das projeções

Fecundidade: mesmo quando os demógrafos adoptam um pressuposto de fecundidade menos pessimista, seja de recuperação (MFM/MJVR – Cenários Demográficos 2030) ou de convergência (EU/AWG – Ageing Report 2012), o Índice Sintético de Fecundidade (ISF) nunca ultrapassa 2,1 – o nível teórico de substituição de gerações – e um cenário com este mesmo valor é realmente heróico!

O ponto interessante, em termos de políticas sociais, é o seguinte: após décadas de políticas públicas de incentivos variados à natalidade, o impacto, reconhecido pelos peritos, de tais medidas sobre os comportamentos das famílias é claramente insuficiente (mesmo nos países

Segundo o EU/AWG – Ageing Report 2012, a perspectiva mais razoável é: «as a result of the convergence assumption, the largest increases in fertility rates are projected to take place in Latvia, Hungary and Portugal, which have the lowest fertility rates in the EU in 2010. The increase is projected to occur gradually, with fertility rates in these countries approaching but not reaching the current EU average fertility rate in 2060». Mesmo estas considerações prudentes estão, a meu ver, ultrapassadas pela crise actual (no nosso caso), estando inviabilizados os incentivos à natalidade, pecuniários e não só, pelas conhecidas razões orçamentais. Além disso, a conjuntura recessiva prolongada que vivemos vai reflectir-se nos comportamentos, atrasando a constituição de novas famílias e, sobretudo, a decisão de procriação, com efeitos duradouros e, consequentemente, impacto estrutural.

Mortalidade: as actuais dificuldades em manter os níveis de cuidados de saúde, que até hoje o SNS tem disponibilizado, bem como os níveis de substituição dos salários pela Segurança Social na situação de doença, poderão limitar os ganhos de longevidade que se têm reflectido na elevação da esperança de vida à nascença e nas idades avançadas.

Migrações: mesmo o Ageing Report 2012, que adopta o pressuposto de migração líquida positiva até 2060, avança valores propostos muito reduzidos pelo que, a verificarem-se, não teriam impacto significativo sobre as variáveis microdemográficas, o que justifica perfeitamente a sua não-consideração (reforçada pela conjuntura actual, mas se esta se prolongar muito, irá ter um efeito qualitativo importante em resultado da fuga dos jovens mais qualificados para o estrangeiro).

Projecções: A população portuguesa declina no longo prazo em todos cenários (MFM/MJVR e EU/AWG – Ageing Report 2012). Os índices estruturais continuarão a evoluir no sentido do duplo envelhecimento da pirâmide de idades.

2. Consequências

O Estado social, tal como o construímos nas décadas de 1980-1990, é demograficamente insustentável.

Em termos de Segurança Social isso implica a continuação de ajustamentos à demografia dos montantes das pensões (e de outras prestações sociais) recebidas, semelhantes ao factor de sustentabilidade vigente.

Sê-lo-á também economicamente insustentável, a menos que a economia cresça acima de 2,5-3 por cento (o que nem os mais optimistas se atrevem a conjecturar).

Sendo assim, as reduções dos valores reais das prestações da Segurança Social irão continuar. A indexação a variáveis económicas (à taxa de inflação ou ao salário médio/produtividade) continuará suspensa e as fórmulas de cálculo das prestações poderão sofrer novas revisões.

A sustentabilidade financeira (equilíbrio entre receitas e despesas da Segurança Social no longo prazo) continuará ameaçada pela conjunção dos dois factores demográfico e económico. A redução dos valores nominais, iniciada com o confisco do 13.° e 14.° meses este ano, será mantida, através de algo equivalente para contornar o obstáculo constitucional. A perspectiva de desagravamento contributivo das empresas continuará longínqua, na ausência de alternativa fiscal compensatória exequível.

REFLEXÕES, NA PERSPECTIVA DA EDUCAÇÃO: MENOS JOVENS = MENOS DESPESA NA EDUCAÇÃO?

Pedro Telhado Pereira
Economista · Professor Catedrático da Universidade da Madeira

No documento «Cenários Demográficos 2030» de Maria Filomena Mendes e Maria João Valente Rosa são apresentados três cenários, sendo que no cenário 0 se mantém a fecundidade e nos outros cenários aumenta. No entanto, existe um conjunto de circunstâncias que a Economia da População tem apontado como causadoras de uma diminuição da fecundidade: o aumento de escolaridade nas mulheres, a precariedade do emprego (contratos a prazo), a entrada mais tardia no mundo do trabalho (desemprego jovem), a incerteza acerca do futuro (garantia de que existirá um apoio público às famílias), a dificuldade em se tornar independente dos pais e a não-existência de um discurso oficial pró-família.

Perante a conjuntura económica actual, e as expectativas criadas sobre a sua evolução no curto prazo, não é de esperar que a fecundidade aumente, sendo até muito provável que venha a diminuir. Assim, a minha reflexão será sobre o cenário 0, o qual apresenta uma diminuição de 27,4 por cento da população jovem (0-14 anos) e de 18,5 por cento nos adultos mais jovens (15-24 anos) entre 2010 e 2030.

Se admitirmos que a situação do sistema educacional para o grupo etário dos jovens é a desejável em termos de qualidade, concluímos que em termos de quantidade se poderão fazer reduções da oferta que implicarão reduções da despesa pública e privada. No entanto, relembrando que em 2009 só 48 por cento da nossa população dos 25-34 possuía o secundário completo, comparando com 81 por cento para o conjunto dos países da OCDE e 83 por cento para os países da EU21 (OCDE *Education at a Glance*, 2011), o combate aos altos níveis de abandono existentes e a obrigatoriedade de concluir o 12.º ano de escolaridade poderão fazer com que as poupanças não sejam tão significativas como a redução do número de potenciais estudantes faria prever.

No caso dos adultos mais jovens, os números apresentados pela OCDE (*Education at a Glance*, 2011) mostram que no respeitante à população portuguesa dos 25-34, em 2009, ainda existia um diferencial negativo em relação tanto à média dos países da OCDE, como à média dos países da EU21 em termos de ensino superior. Sendo assim, a diminuição do número de jovens adultos pode não conduzir a uma redução de alunos, devido ao aumento da participação no ensino pós-secundário e superior, levando a que não seja de prever poupanças na despesa pública e privada.

O aumento do nível educativo e das competências das pessoas que entram no mercado de trabalho leva a um acréscimo da produtividade em relação aos trabalhadores actuais, o que pode evitar a diminuição do PIB *per capita*, se a produtividade média por adulto menos jovem crescer cerca de 4 por cento entre 2010 e 2030, o que me parece alcançável.

CENÁRIOS para 2030

ENTREVISTA

O FUTURO INEVITÁVEL DA DEMOGRAFIA

Carl Haub
Demógrafo, Investigador visitante no Population Reference Bureau

Em qualquer país, prevê-se que as tendências populacionais futuras sejam, em grande parte, resultado do seu passado demográfico. E portugal não é, obviamente, excepção a esta regra.

A demografia, ao contrário de outras áreas, possui uma certa inevitabilidade. Na economia, por exemplo, existem vários factores que podem mudar a situação económica de um país de forma bastante rápida, contrariando as previsões de crescimento ou declínio económico. Na demografia, antecipar um período de, por exemplo, 20 anos é muito diferente.

A grande maioria da população que existirá daqui a 20 anos já existe actualmente. Obviamente, sabe-se que a população actual será simplesmente 20 anos mais velha, apesar de que alguns terão falecido.

É particularmente a população com idade inferior a 20 anos que, em parte, é desconhecida. Dizemos "em parte" visto que não é totalmente desconhecida. Deixando para já de lado a imigração, essa população será composta pelo número de nascimentos que vão verificar-se nos próximos 20 anos. Como sugerido acima, podemos possuir uma previsão razoável desse número, com base no que aconteceu no passado recente.

Sabe-se que as taxas de natalidade diminuíram drasticamente na europa nas últimas décadas, registando em muitos países níveis extremamente baixos que se revelaram uma grande surpresa.

O gráfico abaixo apresenta o exemplo de portugal. Ele mostra o número médio de filhos que uma mulher em portugal teria se a taxa de maternidade de um ano em particular se mantivesse inalterada (também designada de taxa de fecundidade total – TFT).

A TFT de portugal diminuiu drasticamente na década de 1970, dos anteriores 3,2 filhos por mulher, apesar de esse declínio ter começado mais tarde do que noutros países europeus. Mas a TFT mostra um padrão europeu comum ao desses países: após alcançar um nível muito baixo, manteve-se estável.

Hoje, as mulheres em portugal têm uma média de 1,3 filhos, e esse número ainda não deu sinais de aumentar. A consequência de uma taxa de natalidade tão baixa é demonstrada na "pirâmide" populacional de Portugal, no gráfico abaixo. A faixa etária mais jovem, no fundo, com idades entre os zero e os quatro anos, representa os nascimentos nos últimos cinco anos. Note-se como é progressivamente menor do que a faixa etária imediatamente acima.

O facto importante aqui é que o número decrescente de jovens irá naturalmente representar os progenitores de amanhã. Em portugal, a maternidade regista maior incidência em mulheres com aproximadamente 30 anos de idade, e pode-se verificar que essa faixa etária já começou a diminuir e que as faixas etárias inferiores estão cada vez menores.

De notar que a faixa etária dos zero aos quatro é praticamente metade do tamanho do maior grupo no país, com idades entre os 35 e 39.

O resultado? Se a taxa de natalidade se mantiver, o número anual de nascimentos irá diminuir. Na verdade, mesmo se a taxa de natalidade aumentar ligeiramente, o número de nascimentos irá diminuir, ainda que um pouco menos. É claro que a TFT teria de aumentar para níveis comparativamente elevados para garantir uma qualquer "recuperação" a nível dos nascimentos. Mas, por agora, não há sinais desta recuperação.

Porque se verificou este colapso da taxa de natalidade? Apesar de as causas variarem de país para país, existem algumas semelhanças.

Com certeza que o mal-estar económico que afectou a europa nos últimos anos desempenha um papel importante, o qual foi exacerbado pela recente recessão global.

Os potenciais jovens pais que não conseguem encontrar um emprego estável podem acabar por nunca serem pais. Se o forem, a gravidez acontecerá mais tarde e terão talvez não dois mas apenas um filho. Mas parece ser algo mais do que isto.

Em muitos países industrializados, não apenas na europa mas também no Japão e na Coreia do Sul, os jovens não sentem a necessidade de começar uma família tão cedo quanto antes.

Com um maior número de mulheres a trabalhar, muitas vezes a gravidez interrompe carreiras, diminuindo os rendimentos sem um apoio estatal adequado. E há distracções para os jovens na casa dos 20 que eram menos comuns no passado, como as viagens.

Resumindo, vários anos de baixas taxas de natalidade prepararam o terreno para novas questões e decisões políticas.

Se os esforços para encorajar grandes famílias falharem, existe sempre a possibilidade de a imigração preencher as lacunas, apesar de nem sempre esta ser uma solução popular. À medida que diminui o número de trabalhadores para suportar os reformados e idosos, foi e será sugerida a proposta ainda menos popular de aumentar as idades de reforma.

Seja qual for a solução, esta terá de ser abordada agora, pois já se deixou passar demasiado tempo.

em *Diário de Notícias*, 6 de Agosto de 2012

O ENCONTRO

DILEMAS DA SOCIEDADE CONTEMPORÂNEA

Fernando Henrique Cardoso
Sociólogo · 34.º Presidente da República do Brasil

Minhas primeiras palavras são de agradecimento à Fundação Francisco Manuel dos Santos, pelo estimulante convite para discutir os dilemas futuros da sociedade contemporânea. Minha visão, a vida inteira, se preocupou com a mudança social, tentando sempre ver à frente, olhando o presente para nele descobrir onde residia o germe da mudança.

Eu nasci no Rio de Janeiro, em 1931. Quando me recordo o que era o Brasil naquela época, e comparo com o que é o Brasil hoje, não tenho como descrer na possibilidade da mudança, e mudança para melhor. Quando vim ao mundo, 60 por cento dos brasileiros não sabiam ler nem escrever, eram analfabetos; hoje, ainda temos problemas, mas o analfabetismo caiu para 10 por cento, restando sobretudo nas pessoas de mais idade. Naquela época, o Brasil possuía apenas uma estrada pavimentada, que ligava o Rio à cidade de Juiz de Fora (Minas Gerais), construída na época da monarquia. São Paulo também tinha uma estrada pavimentada somente, que a ligava à cidade de Santos, no litoral. De carro, pelas estradas lamacentas, às vezes, demorava dois dias, se chovesse, entre Rio e São Paulo. Isso foi ontem, para mim. Hoje, tudo mudou. Acredito na possibilidade da mudança porque eu vi a mudança acontecer.

A São Paulo em que eu vivi, nos anos de 1940 e 1950, era uma cidade muito acanhada. Pois bem, 30 anos depois, tinha virado uma metrópole com dez milhões de habitantes. Em todo o Brasil ouve um crescimento populacional surpreendente, acompanhado de forte êxodo rural. Como foi possível, para uma população que cresceu nessa velocidade, resolver seus problemas elementares? Não foi nada fácil. Na verdade, todas as estruturas do Estado ficaram insuficientes para atender à demanda: escola, estradas, hospitais, tudo.

Talvez isso explique, em parte, os dois fenómenos que marcaram a nossa vida política: o populismo e o autoritarismo. Primeiro, sendo enorme a demanda, os políticos ofereciam muitas vezes soluções inexistentes, caindo na promessa vazia, fazendo demagogia. Segundo, sendo profunda a desordem, tudo mal feito e mal organizado, parecia necessário impor a ordem, mandar por cima, levando ao autoritarismo. Com muita luta, nós pudemos superar tanto o populismo como o autoritarismo e, pouco a pouco, construirmos uma verdadeira democracia.

A população, como todos sabem, é fator fundamental da sociedade. E ela se altera. Não somos, ainda, uma sociedade como a portuguesa, onde a proporção dos mais velhos já alcança números que impressionam, em comparação com os mais jovens. Mas já não somos tão jovens como éramos há algum tempo. Nossa população está na idade madura. Isso nos abre, no Brasil, uma janela de oportunidades, por uns 20 ou 30 anos, período em que haverá, como se sabe, um "bônus demográfico".

Os que têm alguma leitura de sociologia sabem que tanto Durkheim quanto Marx, quase da mesma maneira, atribuíram à população um papel crucial. Marx, nas primeiras páginas de *O Capital*, mostra que o adensamento da população provoca, como é óbvio, a divisão social do trabalho, criando novas formas de organização na sociedade. Durkheim, no seu famoso livro sobre a divisão social do trabalho diz, mais ou menos, a mesma coisa: que a população, quando começa a crescer, se reproduz no espaço, mantendo as estruturas de sociabilidade fundamentais. Mas, quando ela se adensa, surge a necessidade de uma redivisão do trabalho. No primeiro caso, as sociedades crescem, como ele nominou, por cissiparidade, como as células. No segundo caso, ela cresce por solidariedade.

No primeiro, a solidariedade que se estabelece entre as pessoas é mecânica; no segundo, é orgânica, umas dependem das outras. Ambos mostraram que a população é um motor importante para desenvolver formas de sociabilidade, e que nós não podemos analisar a sociedade sem analisar sua população, sem enxergar quais são as consequências do crescimento da população e as suas várias formas de envelhecimento, ou de rejuvenescimento, sobre a cultura e sobre o modo de vida.

É possível, sempre, ressaltar os lados mais negativos. Desde Malthus havia a ideia de que o crescimento da população poderia levar à crise da alimentação. O desenvolvimento tecnológico mostrou como superar tal dilema da fome. Bem mais tarde, quando foi formado, aqui, na Europa, o Clube de Roma, chamou-se a atenção para o esgotamento dos meios físicos causado pelo crescimento populacional. Num dado momento, isso produziu uma reacção de preocupação, sobretudo nos países em desenvolvimento, porque se supôs, conjuntamente, que o crescimento zero poderia ser a solução para o impasse ecológico. Ora, crescimento zero é inaceitável para os países em processo de desenvolvimento.

De qualquer forma, foi preciso reconhecer que existem limites para o desenvolvimento econômico em função da finitude do planeta. Nós vivemos num momento delicado onde se percebe que, provavelmente, o estilo de vida criado pela civilização contemporânea não é compatível com os recursos naturais oferecidos na Terra. Vamos, portanto, ter que, progressivamente, rediscutir as formas de consumo, os modos culturais, o avanço tecnológico, como produzir novos recursos para suportar a "pegada ecológica" da civilização humana. Evidencia-se a necessidade de repensar o futuro, ou melhor, de reinventar o futuro. Isso não tem, necessariamente, um significado negativo; pode ser também positivo.

Nós vivemos um momento, um umbral da história, semelhante ao que, no passado, foi pensado pelos grandes filósofos, que ao imaginarem o que poderia acontecer com o desenvolvimento do mundo, falavam da necessidade de haver regras universais, que remetiam a pensar na existência da humanidade como sujeito. Pouco a pouco, a ideia de humanidade está voltando a ter força no mundo atual. Vários fatores levam a esse pensamento: o crescimento da população, o desenvolvimento tecnológico, o terror atômico, a depredação do meio ambiente, questões, entre outras, que não se conseguem equacionar a partir de uma perspectiva de classe social, ou a partir de uma perspectiva de Estado nacional. Somente pensando no universal se encontra saída para elas.

Essa percepção condiciona nossa visão de futuro. Daqui por diante, nós não podemos mais deixar de pensar nas consequências dos nossos atos, não apenas sobre a nossa cidade, a nossa classe social, o nosso país mas, em geral, sobre a humanidade. Queiramos ou não, criámos um mundo que acabou por se unificar. Essa unificação se deu através de mecanismos tecnológicos, de processos de desenvolvimento econômico, e que foram surpreendendo pela sua velocidade, pela sua rapidez. Ninguém podia imaginar o que aconteceu a partir dos anos de 1960/70 até hoje. O substrato dessas rápidas transformações residiu num grande desenvolvimento tecnológico ocorrido no transporte, na comunicação, nos meios electrónicos, na Internet, e nessa maquininha aqui chamada telefone "celular". Tudo isso transformou o mundo.

Quem conhece de perto o que aconteceu na União Soviética, como conta Manuel Castells, descobre que a base da desorganização do império burocrático soviético foi a lerdeza da burocracia. O regime autoritário se mostrou incapaz de generalizar o desenvolvimento tecnológico para a população, restringindo tal movimento aos grandes feitos, como mandar o Sputnik para o espaço, ou construir bombas atómicas. Mas não permitiu que a sociedade, toda, se modernizasse. Chegou um momento em que o desenvolvimento tecnológico americano, japonês e coreano, ao invés de se orientar pelas grandes máquinas, se orientou pela miniaturização. E os soviéticos não foram capazes de acompanhar esse processo, pois havia um impedimento político, causado pelo temor daquilo que a miniaturização poderia trazer na participação mais ampliada na sociedade soviética, que era fechada.

Na China, agora, presenciamos certas dificuldades dessa mesma natureza. Grandes e rápidas transformações ocorreram sem que muitos as percebessem, como o desabamento do mundo dual, o ocidental e o mundo soviético, a emergência da China, a presença mais ativa de países que, antes, estavam numa posição subalterna, como o Brasil. Uma mudança imensa no contexto mundial.

A globalização assumiu sua feição contemporânea mais dramática, mais expressiva, quando ela alcançou os meios financeiros. Aí, produziu uma verdadeira revolução, para o bem e para o mal. Forte impacto surgiu no momento em que esse processo tomou conta, por assim dizer, do sistema de distribuição dos recursos financeiros.

Diante desse mundo, que cresceu dessa maneira, dessa população que explodiu, frente ao facto de que houve uma potenciação imensa de acumulação dos recursos da produção – capitais, humanos, tecnológicos –, passou a haver, também, uma espécie de comprometimento moral, uma ética que diz respeito a toda a humanidade. Aqui está o desafio do futuro quando se pensa em nível macro, em termos dos grandes problemas globais, que passam a afligir a humanidade. Não é pequeno, o desafio.

Ele está sendo enfrentado um pouco às cegas. Por quê? Porque os grandes órgãos que lidam com o problema global resultaram do final da Segunda Guerra Mundial: as Nações Unidas, o Conselho de Segurança, o Fundo Monetário Internacional, a Organização Mundial de Comércio, o Acordo da Basileia. Todas essas instituições perderam capacidade política de resolver conflitos. Assim, necessita-se de novos mecanismos de controle na ordem mundial, capazes de tratar dos interesses mais coletivos, universais. Este processo se encontra em elaboração.

Esse tema, da governança global, afeta, também, a governança local. Acontece que a forma política na qual os países ocidentais baseiam as suas decisões advém da democracia representativa, e nós todos sabemos que, hoje, há uma demanda que vai além desse sistema político, manifestada por movimentos variados que pressionam a opinião pública. O desafio é saber compatibilizar a necessária participação desses movimentos mais espontâneos da população, que se transmitem, com muita rapidez, pelas redes sociais na Internet, com os mecanismos formais de decisão, que passam por uma representação formal, pelo voto. Está aqui um tema para ser inventado.

O futuro não está dado, ele não é, simplesmente, a repetição do que já ocorre, ele tem que ser criado, inventado. E as transformações sociais não se fazem sem liderança, sem criatividade, uma somatória entre a capacidade de julgar, o juízo e a imaginação. Por isso, é preciso que haja pessoas e instituições capazes de inventar o futuro.

Na vida política, quem não tem imaginação não muda nada, enxerga apenas barreiras. Se você não imagina outra realidade, você fica preso na realidade atual, não consegue melhorar. Por outro lado, cuidado. Na arte, a imaginação desvairada pode, até, produzir resultados excepcionais; na política, não. Se a imaginação for desvairada, ela resulta em desastre. E, aí, outra faculdade é essencial: a capacidade de ter juízo. Juízo é a avaliação, não a certeza, a análise do que é possível e a aposta de que aquilo que é possível vai se tornar realidade. Digo mais. Quem tem responsabilidade política, quem lidera politicamente, não pode ser alguém que deixe de ousar. É preciso ter coragem para ousar. Mas não pode ser audacioso, pura e simplesmente. Tem que ser a ousadia que pressupõe uma avaliação entre alternativas, que implica uma escolha. Uma escolha, necessária, mas carregada de incertezas. Daí vem a ousadia do líder.

O mundo está em desordem, cheio de crises, que geram incertezas, algumas delas atemorizam as pessoas. Quem muda as coisas, quem reforma, quem propõe algo novo, quem ousa e tem juízo, quem constrói caminhos, busca uma meta, sabe que tais tarefas requerem coragem. Porque quem vai mudar, no começo, se faz acompanhar por poucos. Em geral, as pessoas não querem mudar. Fala-se de mudança, mas a mudança amedronta, porque as pessoas têm medo do desconhecido, do que virá. Você, portanto, deve navegar dentro das incertezas, avaliar, tomar uma decisão, colocar essa decisão, tentar, sendo democrático, convencer o outro.

Mudanças globais, ou decisões políticas, requerem esse estilo de liderança a que me referi, e isso não se inventa, embora o momento, às vezes, provoca uma transformação das pessoas. Há exemplos clássicos. Talvez o mais brilhante seja o do Churchill, que era um deputado de segunda categoria, considerado um pouco boêmio, pouco levado a sério e que, de repente, ao recusar o Pacto de Munique, se agigantou na luta política e virou um grande líder. O momento o fez. Com Roosevelt ocorreu algo semelhante. Considerado indeciso, se tornou o grande líder dos americanos na guerra. Há momentos em que as figuras crescem, se avolumam, mesmo em circunstâncias muito negativas que, às vezes, se tornam as próprias forças da mudança e da ação.

Nesse sentido, o panorama dos grandes desafios que pintei – o crescimento da população, a transformação econômica, o fim da Guerra Fria, a emergência dos países novos –, que estão requerendo, obviamente, uma reorganização do mundo, pode dar a entender que estamos diante de um desafio tão grande que nunca será possível resolvê-lo. Não digo isso com essa intenção. Digo isso com a intenção oposta. Nestes momentos é que surgem pessoas, grupos e lideranças capazes de mudar a situação.

Reitero o que disse há pouco. A responsabilidade maior, num líder político, não é proclamar a verdade, mas sim criar caminhos para chegar mais próximo dela. Até porque a verdade, propriamente dita, nunca se atinge. O ideal é uma utopia, e a utopia faz funcionar o mundo. Mas a utopia, por definição, não é alcançável. A grande tarefa dos políticos, dos homens que têm responsabilidade social, é criar os caminhos para se aproximar daquilo que nós achamos que é o nosso ideal.

Não sou, portanto, pessimista. Não posso ser pessimista. Nesses 81 anos de vida, eu vi o meu país mudar. Estou certo de que os problemas atuais não têm comparação, quanto à possibilidade que nós temos de resolvê-los, com o que nós tínhamos na época em que eu nasci. Naquele tempo nós não tínhamos alternativas, era subdesenvolvimento, subdesenvolvimento, subdesenvolvimento, pobreza, pobreza, pobreza. Assim, também no mundo.

Termino chamando atenção para um ponto. Para enfrentar os desafios do futuro, será necessário criar uma cultura de aceitação do outro, da tolerância. Não há democracia se não houver alguma zona de entendimento. Quando há intransigência, perde a democracia. Quando há fundamentalismo, impede-se o acordo possível. Nós temos que aprimorar culturas mais tolerantes.

O Brasil, nesse aspecto, é herdeiro da cultura portuguesa, da tolerância para com o outro. Existem adversidades e preconceitos na sociedade. Mas, pouco a pouco, se vai criando uma situação de tolerância, de tal forma que, mesmo quando a aceitação falte, verdadeiramente, você tem vergonha de dizer que é contra o outro, preferindo se aquietar. Vou dar o exemplo da questão racial no Brasil. Nós inventámos que havia uma democracia racial no Brasil. Não havia. Mas o fato de nós a querermos ter, de defendermos uma democracia racial, isso por si só facilitou a diminuição da intolerância racial.

São valores culturais que precisamos oferecer ao mundo, e nós dispomos deles, no sentido dado por Joseph Nye do *soft power*, o poder suave, o poder da imagem, da ideia, da cultura. Somente assim, em um mundo mais tolerante, se poderá entender que a defesa dos valores universais não seja vista como contrária ao interesse nacional. Aí sim, nós podemos avançar.

Há muito que contribuir. Eu acho que o momento, que é de dificuldade para todos, não remete à desesperança, pelo contrário, dá um toque de convocatória, de participação, motivada por uma crença na humanidade. Eu tenho a certeza de que, pouco a pouco, nós vamos conseguindo rumar para esse futuro melhor. O decorrer da minha vida não me permitiu acreditar que inexistem soluções, pois eu vi muitos problemas, que pareciam intratáveis, serem solucionados.

Essa é minha crença, a crença de que vamos avançar buscando no presente a semente do futuro.

Muito obrigado.

O NOVO DESTINO DEMOGRÁFICO GLOBAL

Carl Haub
Demógrafo · Investigador Visitante no Population Reference Bureau

Auguste Comte, fundador da Sociologia, disse, no início do século XIX, *demography is destiny*. A afirmação, já verdadeira na altura, ainda o é mais hoje.

Demograficamente, o mundo pode ser dividido em dois "mundos" distintos: um com níveis de natalidade elevados e crescimento populacional significativo, e outro com níveis de natalidade baixos.

Os países com natalidade elevada situam-se actualmente nas regiões em desenvolvimento, ainda conhecidas como "Terceiro Mundo": África, Ásia e América Latina. Do lado oposto estão as regiões mais ricas do planeta – Europa, América do Norte e Ásia Oriental – que apresentam baixos níveis de natalidade. As histórias destes dois "mundos" divergiram de forma completamente inesperada. Vejamos como isto aconteceu.

Em meados do século XX era generalizada a convicção de que a fome e as doenças fariam aumentar os níveis de mortalidade nos países em desenvolvimento. A recordação desse tipo de calamidades era, nessa altura, ainda muito sentida. No entanto, com as melhorias na alimentação, que resultaram da Revolução Verde, e a expansão de programas básicos de saúde pública, a mortalidade começou a diminuir nos países em desenvolvimento, mas a natalidade não.

O crescimento populacional acelerou e a população do Mundo aumentou de uma forma sem precedentes, fenómeno então apelidado por "explosão" populacional. Nos países em desenvolvimento foi tão elevado que chegou a atingir os 3 por cento ou os 4 por cento ao ano, ritmos muito acima do que alguma vez acontecera nos países industrializados. Em 1900, a população mundial totalizava 1,6 mil milhões, um número que levara cerca de 50 mil anos de história da humanidade a alcançar. Mas uns escassos 100 anos mais tarde chegava aos 6,1 mil milhões, ocorrendo 85 por cento desse aumento nos países em desenvolvimento. Actualmente, 7,1 mil milhões de pessoas habitam a Terra e perto de 100 por cento do crescimento populacional verifica-se nos países em desenvolvimento.

A situação nos países desenvolvidos é completamente diferente. Nesses, os níveis de natalidade caíram para valores historicamente baixos e, pelo menos no presente, parecem aí permanecer. Na Alemanha, o índice sintético de fecundidade (ISF), número médio de filhos que uma mulher teria ao longo da vida se as taxas de fecundidade se mantivessem idênticas às do momento referência, passou para valores inferiores 1,5 filhos no início da década de 1970. Isso foi há muito tempo. Tão drásticas descidas de fecundidade aconteceram um pouco mais tarde noutros países desenvolvidos e têm persistido baixas.

As razões para a diminuição da fecundidade são várias, algumas comuns e outras específicas a alguns países.

A economia desempenha, evidentemente, um papel fundamental sobre a fecundidade, na medida em que a decisão de ter um ou mais filhos depende frequentemente da percepção da segurança económica individual. Há, ainda, muitas outras razões. Por exemplo, à medida que a situação dos casais em que ambos trabalham se foi tornando mais comum, a existência de creches – a custos acessíveis – torna-se cada vez mais importante para essa decisão. Os subsídios de apoio à infância podem também ter um papel importante, mas são geralmente insuficientes. Há também um factor difícil de medir: a alteração das atitudes face à ideia de constituir família. Wolfgang Lutz, do Instituto de Demografia de Viena, expressou bem estas novas atitudes ao cunhar o termo "armadilha da baixa fecundidade" (*low fertility trap*) para mostrar que a expectativa de constituir família no início da idade adulta parece ter-se desvanecido. Podemos ainda acrescentar a necessidade de continuar a educação por períodos mais longos para se conseguir um "bom" emprego e a procura, primeiro, de um emprego permanente e a tempo inteiro, e só depois a procura de um apartamento. Até mesmo a migração das populações mais jovens das suas vilas e cidades mais pequenas para cidades maiores tem efeito na fecundidade, pois os custos são mais elevados nas áreas urbanas.

Actualmente, nos países desenvolvidos quase não se observam valores de ISF que garantam a substituição de gerações – isto é, 2,1 filhos em média por mulher – e já são vários os países com um número de óbitos por ano superior aos nascimentos. É o caso da Bielorrússia, da Bósnia-Herzegovina, da Bulgária, da Croácia, da Estónia, da Alemanha, da Hungria, da Itália, do Japão, da Letónia, da Lituânia, da Moldávia, de Portugal, da Roménia, da Rússia, da Sérvia e da Ucrânia. E muitos outros países da Europa, para além da Coreia do Sul e Taiwan, irão juntar-se-lhes, à medida que este processo de baixa fecundidade se generalizar.

O impacto da recessão global veio questionar as futuras tendências da fecundidade. Antes da recessão que afecta muitos países europeus, o número médio de filhos por mulher (ISF) estava a aumentar. Em Espanha, o ISF passou de 1,15 filhos por mulher em 1998 para 1,46 filhos em 2008 – muito devido ao efeito da "maternidade adiada", uma vez que subiram as taxas de fecundidade das mulheres com mais de 30 anos – e em 2011 baixou para 1,38 filhos. É este o padrão que atravessa quase toda a Europa. Até os Estados Unidos da América, muitas vezes encarados como um país desenvolvido com uma "alta fecundidade", não ficou imune. O ISF, que estava razoavelmente estável, em cerca de 2,0 filhos por mulher, caiu para 1,89 filhos em

2011. Essa diminuição foi particularmente drástica entre a população hispânica do país, a qual tinha um ISF historicamente bastante elevado. O ISF hispânico era de 2,86 filhos em 2006, e caiu bruscamente para 2,23 filhos, em 2011.

Num futuro próximo é improvável uma recuperação significativa do ISF nos países desenvolvidos. Apesar de alguns aumentos observados no passado recente, muitos países ainda apresentam níveis bastante baixos de fecundidade. E quanto mais tempo a fecundidade permanecer com níveis baixos, mais difícil será reverter a situação, sendo já, em muitos países, praticamente impossível. É crescente, aliás, o número de demógrafos que acredita que a diminuição da dimensão das famílias se tornou permanente.

Existem soluções? O apoio governamental ou societal às famílias jovens pode impedir que os níveis de fecundidade atinjam valores muito baixos, mas nem sempre é assim. A insegurança económica pode anular esses esforços – e já anulou, em alguns casos. A Suécia é disso um exemplo. O ISF da Suécia, que atingiu um valor mínimo de 1,6 filhos na década de 1980, subiu para 2,1 filhos no início dos anos de 1990, uma evolução que mereceu atenção generalizada. No entanto, ninguém imaginou que o declínio iria retomar até ao seu nível mais baixo na história, passando o ISF para 1,5 filhos em 1999. Em 2010 aumentou de novo para 2,0 filhos, mas em 2011 voltou a descer para 1,9 filhos. Apesar dos apoios à maternidade/paternidade, o comportamento do ISF sueco revelou-se, assim, susceptível às flutuações económicas.

A imigração tem sido apresentada muitas vezes como uma solução para a diminuição da população nas idades activas e para a escassez de jovens. E certamente que pode ser, pelo menos em termos estatísticos. Os imigrantes aceitam frequentemente empregos menos bem remunerados que os nacionais já não querem, e preenchem lugares em que há faltas de pessoal, como ciências informáticas ou enfermagem. Contudo, nos anos recentes a imigração para países desenvolvidos com origem noutros países desenvolvidos ou em desenvolvimento tem diminuído, passando o saldo migratório a negativo, simplesmente por existirem menos empregos disponíveis. Por outro lado, para alguns países que procuram imigrantes, há ainda a considerar outros obstáculos para além dos económicos, por exemplo, a língua. O Japão, que precisa de enfermeiros estrangeiros, verificou que a barreira da língua é problemática. Enfermeiros das Filipinas e do Vietname não conseguem frequentemente dominar a língua japonesa em tempo oportuno e regressam aos seus países de origem. A Alemanha enfrenta dificuldades semelhantes. Em contrapartida, em países como a Espanha e o Reino Unido essas barreiras à imigração são menores por terem línguas consideradas mais comuns.

Os impactos sociais da imigração são muitas vezes encarados como indesejáveis pelos países anfitriões, particularmente à medida que as populações estrangeiras aumentam em termos estatísticos. Alguns temem a diluição da sua cultura nacional e muitos chefes de estado queixam-se que a assimilação tem fracassado na medida em que os imigrantes mantêm culturas estrangeiras à margem das tradições nacionais. Apesar disso, as populações imigrantes continuam a aumentar. Na Alemanha, a população estrangeira, de acordo com estimativas das Nações Unidas, subiu de 7,5 por cento em 1990 para 13,1 por cento em 2010. Na Irlanda, a proporção de estrangeiros chegou a um em cada cinco. Em resumo, a composição étnica dos países desenvolvidos está a mudar e continuará a mudar. Os imigrantes pagam contribuições sociais, aumentam o número de consumidores e são muitas vezes necessários apesar das elevadas taxas de desemprego, uma aparente contradição. Por fim, as taxas de fecundidade dos imigrantes são frequentemente mais elevadas do que as dos nacionais e têm ajudado a manter mais elevados os ISF dos países de acolhimento.

Portugal encontra-se em situação demográfica semelhante a outros países com baixas taxas de fecundidade. O ISF do país caiu para níveis inferiores à substituição de gerações em 1982, um pouco mais tarde, portanto, do que aconteceu com outros países da União Europeia.

Mesmo assim, o número de jovens que, nos anos vindouros, será a população em idade fértil já está a diminuir. O ISF de Portugal de 1,37 filhos, em 2010, situa-se, aliás, entre os mais baixos da Europa e o número de nascimentos continua a diminuir. A conjugação de desemprego elevado, crise económica e emigração de trabalhadores não são um bom presságio para a recuperação, no futuro, dos níveis de fecundidade em Portugal.

O efeito mais crítico da baixa fecundidade para estas regiões não é tanto o declínio populacional – alguns salientam aliás que este fenómeno pode diminuir o impacto ambiental da população – mas o envelhecimento demográfico.

As populações dos países desenvolvidos estão a envelhecer como nunca se esperou. Presentemente, 16 por cento da população da Europa tem 65 ou mais anos de idade, a mesma percentagem da população com menos de 15 anos. Se compararmos com o ano de 1970, 11 por cento tinha 65 e mais anos e 25 por cento menos de 15 anos. Porém, isto é apenas o princípio do envelhecimento das estruturas etárias. De acordo com projecções da Divisão de População das Nações Unidas, se as taxas de fecundidade europeias continuarem idênticas às de hoje, em 2050 a população da Europa terá cerca de 29 por cento de pessoas com 65 e mais anos de idade e apenas 13 por cento com menos de 15 anos. Em muitos países da Europa com baixas taxas de fecundidade, já hoje os grupos etários mais jovens representam cerca de *metade* do grupo etário dos seus pais.

Retomando a ideia de destino demográfico, consideremos as três pirâmides populacionais abaixo. A pirâmide da Zâmbia mostra um país em desenvolvimento sem qualquer descida na taxa de fecundidade, onde o futuro é ainda de grande e acelerado crescimento mas que poderá, no entanto, alterar-se. A segunda pirâmide, de Marrocos, mostra um país que realmente baixou a sua taxa de fecundidade, mudando o seu destino de forma bastante drástica. Finalmente, a de Portugal mostra um país com baixa fecundidade e que pode antecipar o futuro, o seu destino, olhando para a base da pirâmide. Aqui, o aumento dos níveis de fecundidade, mesmo que venham a acontecer, não terá efeitos imediatos devido ao emagrecimento do número de potenciais progenitores.

População de Marrocos por Idade e Sexo, 2010

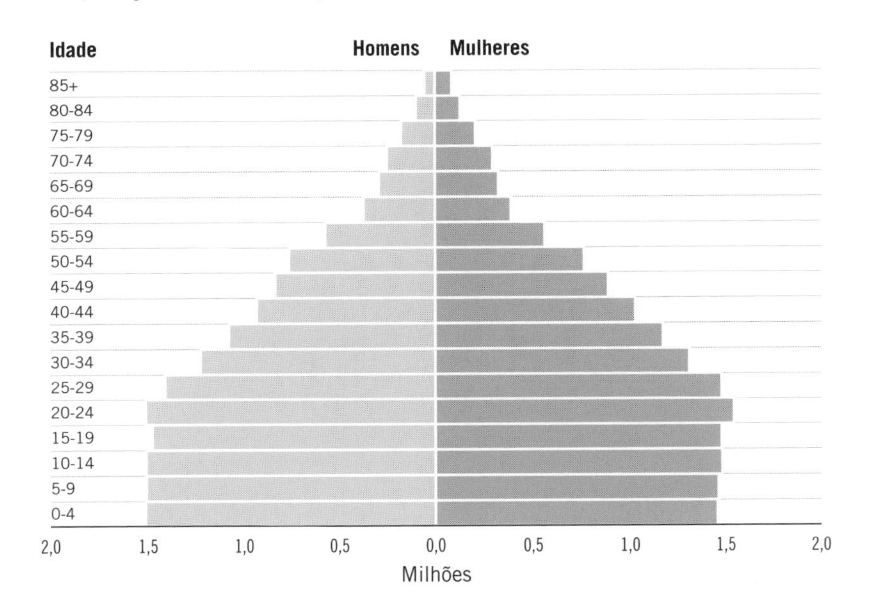

Fonte: United States Census Bureau, International Data Base

População de Portugal por Idade e Sexo, finais de 2011

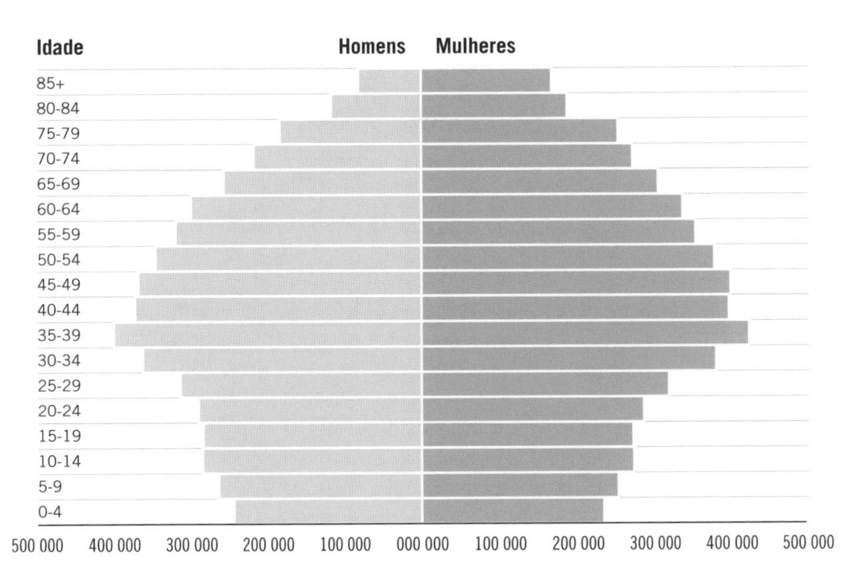

Fonte: PORDATA

Fonte: United States Census Bureau, International Data Base

Assim, vivemos agora num mundo em que os países ricos estão perante um longo período de envelhecimento e têm de procurar soluções. Há muito a fazer de imediato. De alguma forma, as pensões têm de ser pagas e as crescentes necessidades de saúde da população idosa têm de ser satisfeitas. Simultaneamente, muitos países em desenvolvimento, antigas colónias, estão a assumir uma crescente influência económica a nível mundial. Para alguns, este é um mundo às avessas.

O ENCONTRO
ENVELHECIMENTO e CONFLITO de GERAÇÕES

FACTOS PARA O DEBATE

O número e a proporção de pessoas com 65 e mais anos nunca foram, em Portugal, tão altos como actualmente. O nosso país conta hoje com mais de dois milhões de idosos, sendo que cerca de um em cada cinco residentes está neste grupo de idades. Em contrapartida, o número de jovens com menos de 15 anos nunca foi tão baixo. Actualmente são um pouco mais de um milhão e meio e representam 15 por cento do total de residentes. Apesar de a esperança de vida estar a aumentar, as pessoas não trabalham, em média, mais anos que no passado. Será que a evolução da demografia põe o futuro do Estado social em risco? Que convivência entre os jovens e os adultos ou os idosos poderemos esperar no futuro? As mudanças na sociedade são mais difíceis quando a população envelhece?

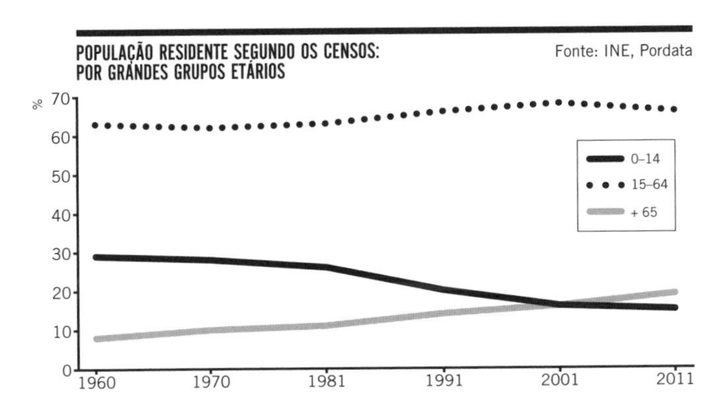

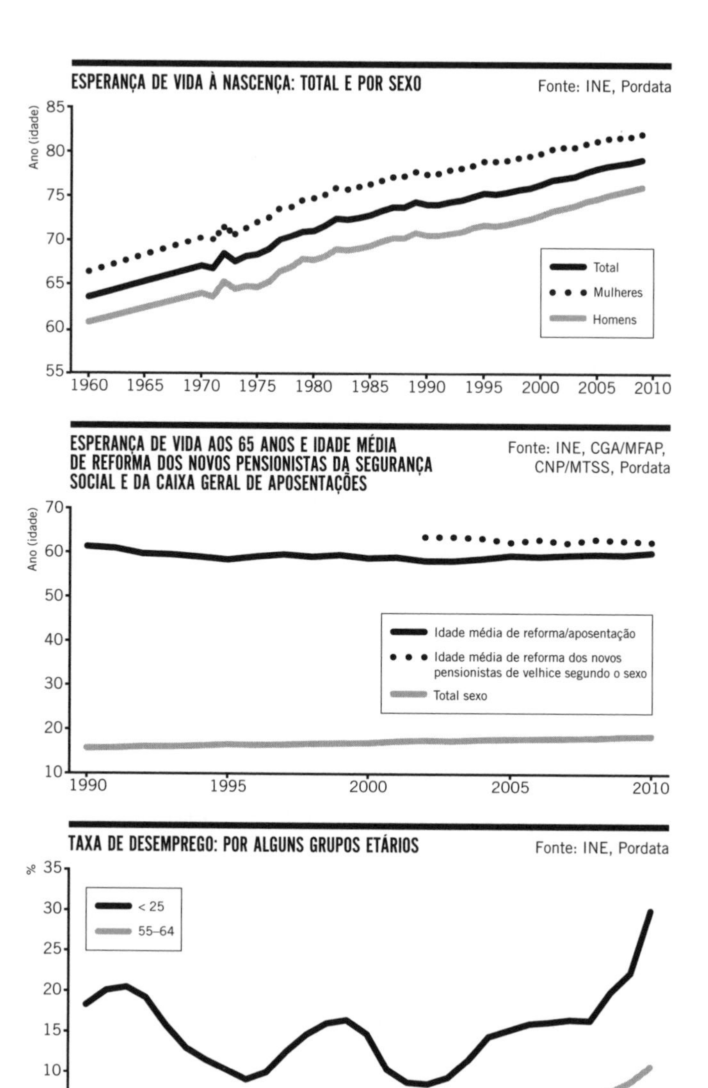

ESPERANÇA DE VIDA À NASCENÇA: TOTAL E POR SEXO
Fonte: INE, Pordata
Ano (idade)
85
80
75
70
65
60
55
1960 1965 1970 1975 1980 1985 1990 1995 2000 2005 2010
Total
Mulheres
Homens
ESPERANÇA DE VIDA AOS 65 ANOS E IDADE MÉDIA DE REFORMA DOS NOVOS PENSIONISTAS DA SEGURANÇA SOCIAL E DA CAIXA GERAL DE APOSENTAÇÕES
Fonte: INE, CGA/MFAP, CNP/MTSS, Pordata
Ano (idade)
70
60
50
40
30
20
10
1990 1995 2000 2005 2010
Idade média de reforma/aposentação
Idade média de reforma dos novos pensionistas de velhice segundo o sexo
Total sexo
TAXA DE DESEMPREGO: POR ALGUNS GRUPOS ETÁRIOS
Fonte: INE, Pordata
%
35
30
25
20
15
10
5
0
1983 1988 1993 1998 2003 2008 2011
< 25
55–64

Envelhecimento

O envelhecimento da população não acontece por acaso. Nascem cada vez menos crianças. Em Portugal, o número médio de filhos por mulher é de 1,37, muito abaixo do valor que garante a substituição de gerações. Por outro lado, a esperança de vida dos portugueses aumentou para 76,4 anos se for homem e 82,3 anos se for mulher. Será o envelhecimento da população uma inevitabilidade? Que consequências acarreta para a sociedade?

- Em Portugal, residem 2 022 504 indivíduos com mais de 65 anos (19 por cento da população total).
- Em média, cada mulher em idade fértil tem, hoje, 1,37 filhos. Em 1970, o número médio de filhos era de três.
- A idade média da população é hoje já superior a 40 anos; em 1960 era 28.
- A esperança média de vida aumentou mais de 12 anos nos últimos 40 anos, sendo de 79,5 anos em 2010.
- A esperança de vida aos 65 anos é, em 2010, para os homens de 16,8 anos e para as mulheres de 20,1 anos. São cinco anos a mais do que em 1970.
- A esperança média de vida com saúde aos 65 anos é, em 2010, 7,1 anos para os homens e 5,7 para as mulheres.

Conflito de Gerações

A esperança de vida aos 65 anos aumenta. Mas a idade dos novos reformados mantém-se. O número de activos (empregados e desempregados) tem aumentado menos que o dos pensionistas; o número de activos por pensionista tem vindo a diminuir. Estará o Estado social em risco? O contrato geracional estará hipotecado? E estará a produtividade comprometida?

- O número de pessoas em idade activa por idoso é um pouco mais de três, e já foi, no início da década de 1960, de oito.
- Em 1960, existia um rácio de 27 idosos por cada 100 jovens. Em 2011, este rácio inverte-se para 129 idosos por cada 100 jovens.

- O número de pensionistas é de 3,5 milhões, existindo menos de dois activos (1,6) por cada pensionista.
- A idade média de reforma dos novos pensionistas de velhice da Segurança Social diminuiu dois anos na última década: é, em 2011, de 62,1 anos.
- As taxas de desemprego dos activos mais jovens e mais idosos têm vindo a aumentar.
- A taxa de desemprego entre os jovens é cerca de três vezes superior à dos adultos com idades entre os 55 e os 64 anos, mas já foi, no início dos anos de 1980, oito vezes superior.
- As despesas com pensões de velhice representam, em 2010, 29 por cento da despesa total da segurança social e já representaram apenas 18 por cento em 1975.
- A pensão média de velhice, a preços constantes, é actualmente de 4563 euros por ano e era de 1246 euros em 1975.
- Em 2011, 1 312 820 pensionistas de velhice da Segurança Social (regime geral) têm pensões inferiores ao salário mínimo nacional, ou seja, 79 por cento do total. Em 1991, eram 712 097, isto é, 91 por cento.
- Em 2010, a percentagem de idosos na Suécia é de 18 por cento; 21 por cento na Alemanha; e 18 por cento em Portugal. O PIB *per capita* (em PPS) da Suécia é de 30 058 euros, na Alemanha é de 28 772 euros em Portugal de 19 540 euros.

NOTAS SOLTAS

Existe uma quarta idade?

O perfil etário da população pode ser estruturado em três grandes grupos: *a)* 0-14 anos (idade «**jovem**»), *b)* 15-64 anos (idade «**activa**») e c) 65 e mais anos (idade «**idosa**»). Dentro do grupo de idade "idosa" e, ainda, é habitual os indivíduos serem estatisticamente classificados em dois subgrupos: 65-74 anos ou 65-79 anos (idade "idosa mais jovem") e 75 e mais ou 80 e mais anos (**4.ª idade**).

Há mais que uma esperança média de vida?

O número médio de anos que uma pessoa pode esperar viver pode ser determinado para qualquer idade. Entre os indicadores mais utilizados contam-se a "**esperança de vida à nascença**" (*número médio de anos que uma pessoa à nascença pode esperar viver se os níveis de mortalidade por idades observados no momento de referência se mantiverem idênticos ao longo do tempo*) e a "**esperança de vida aos 65 anos**" (*número médio de anos que uma pessoa com 65 anos pode esperar viver mantendo-se os níveis de mortalidade observados no momento de referência*). Em Portugal, em 2010, a esperança de vida a nascenca era de 79,5 anos e a esperança de vida aos 65 anos era de 18,6 anos.

Existem vários tipos de reforma, de planos e fundos de pensões?

Um "**plano de pensões**" visa suprir a perda permanente de rendimentos salariais, como resultado da reforma do trabalhador. Em Portugal, os trabalhadores do sector público contribuem para o "**fundo de pensões**" da Caixa Geral de Aposentações e os trabalhadores do sector privado para o fundo da Segurança Social. Ambos os fundos funcionam de acordo com o "**princípio da redistribuição**" (*pay as you go*), isto é, utilizam as contribuições dos actuais trabalhadores para pagar os benefícios dos actuais pensionistas. Estes planos, assim como a maior parte dos planos obrigatórios, são planos de "**benefício definido**", isto é, o trabalhador sabe à partida quanto receberá na reforma, podendo esse montante ser calculado através de uma fórmula que tipicamente envolve variáveis como o número de anos de trabalho, o valor médio dos seus salários e o valor dos seus últimos salários.

Um modo alternativo ou complementar de organização dos fundos de pensões passa por um "**sistema de capitalização**", em que as contribuições do trabalhador são investidas ao longo dos anos e distribuídas ao mesmo por altura da reforma. Os planos de pensão voluntários ou privados são geralmente do tipo "**contribuição definida**", pagando o trabalhador um montante fixo durante os anos de trabalho e recebendo na reforma o valor actualizado pela taxa de retorno dos investimentos efectuados com as suas contribuições.

A idade de reforma é actualizada todos os anos?

Pela via de ganhos ou perdas da esperança de vida aos 65 anos, a idade de passagem a reforma pode variar. O acréscimo de idade de reforma, caso a esperança de vida aumente, e determinado pelo "**factor de sustentabilidade**", calculado com base nos dados anualmente divulgados pelo INE sobre a esperança de vida aos 65 anos.

Um indivíduo activo é diferente de um indivíduo empregado?

O "**indivíduo activo**" tem a idade mínima de 15 anos e constitui a mão-de-obra disponível para a producão de bens ou serviços que entram no circuito económico, independentemente de estar empregado ou desempregado. O "**indivíduo empregado**" tem a idade mínima de 15 anos e encontra-se em situação de: *a)* ter efectuado trabalho de

pelo menos uma hora, mediante pagamento de uma remuneração; *b)* ter uma ligação formal com o seu emprego; *c)* ter uma empresa, mas não estar temporariamente ao trabalho; *d)* estar na pré-reforma, mas a trabalhar.

Em Portugal, em 2011, existiam cerca de 5 543 200 indíviduos activos e 4 837 000 empregados.

Um pensionista não é necessariamente um idoso?

Um "**pensionista**" é, independentemente da sua idade, o titular de uma prestação pecuniária nas modalidades de invalidez, velhice, doença profissional ou sobrevivência (por morte de familiar). Um "**idoso**" é estatisticamente um indivíduo com 65 e mais anos. Em Portugal, em 2011, existiam 3 535 422 pensionistas e 2 022 504 idosos.

Data de obtencao dos dados: Junho de 2012

Para saber mais...

Publicações

Fernando Ribeiro Mendes, "Segurança Social, o Futuro Hipotecado", Fundação Francisco Manuel dos Santos, 2011

Maria João Valente Rosa, "O Envelhecimento da Sociedade Portuguesa", Fundação Francisco Manuel dos Santos, 2012

Maria João Valente Rosa, Paulo Chitas, "Portugal: os números", Fundação Francisco Manuel dos Santos, 2010

Sibila Marques, "Discriminação da Terceira Idade", Fundação Francisco Manuel dos Santos, 2011

Accenture, "Achieving High Performance in a Rapidly Aging World", 2005

CEDEFOP, "The right skills for silver workers", 2010 – Comissão Europeia, "Regimes europeus de pensões adequados, sustentáveis e seguros", 2010

Eurostat, "Active ageing and solidarity between generations", 2012

Eurostat, "EU27 population is expected to peak by around 2040", 2011

Eurostat, "Europe in figures – Eurostat yearbook 2011", 2011

Eurostat, "The greying of the baby boomers

A century-long view of ageing in European populations", 2011

Nações Unidas, "A clash of generations? Youth bulges and political violence", 2011

Nações Unidas, "World Population Ageing 2009", 2009

OCDE, "Pensions at a glance 2011: retirement-income systems in OECD countries", 2011

OCDE, "Pensions Outlook 2012", 2012

Bases de Dados

http://www.ine.pt

http://www.pordata.pt

http://ec.europa.eu/eurostat

http://www.oecd.org

http://www.un.org/en/databases

Links

http://www.apdemografia.pt

http://www.ienvelhecimento.ul.pt

http://www.ageing.ox.ac.uk

TESTEMUNHO DO RELATOR

José Pena do Amaral
Ralator · Membro da Comissão Executiva do BPI

O envelhecimento é inimigo do Estado social?

O debate focou-se quase exclusivamente na dimensão do Estado social relacionada com a Segurança Social, excluindo, portanto, a Saúde e a Educação. Um dos intervenientes considerou o envelhecimento "filho do Estado social", que ajudou a massificar as condições para uma maior longevidade com razoável qualidade de vida. Os três intervenientes convergiram na ideia de que o envelhecimento condiciona o Estado social e obrigá-lo-á a adaptar-se às novas condições da sociedade e da demografia, podendo tornar-se, de facto, seu inimigo se esse processo não ocorrer. Um dos intervenientes sintetizou esta ideia declarando que "o Estado social não pode ser embalsamado", posição que recolheu consenso. A análise das formas específicas desse ajustamento, apenas aflorada, mostrou, porém, que existe um importante potencial de divergência quanto às soluções e políticas a adoptar. Poderemos reconhecer, sem surpresa, que se definiram implicitamente dois campos: um considerando que a indispensável adaptação do Estado social é um pretexto para o desfigurar irremediavelmente e outro sublinhando que alguns admitem a inevitável reforma apenas pela força dos factos, mas não reconhecem a verdadeira dimensão do desequilíbrio financeiro que se está a gerar e, por isso, não estão disponíveis para encontrar respostas suficientemente efectivas e sustentáveis para o absorver.

Esta diferença traduziu-se, por exemplo, na definição do conceito de direitos adquiridos e nas formas de "flexibilização" do sistema, com a introdução na sua arquitectura de uma componente privada, de escolha individual; mas exprimiu-se também nos juízos sobre a reforma de 2006 em Portugal: um dos intervenientes considerou que ficou apenas a meio caminho, enquanto outro declarou, invocando um estudo da OCDE, que está a dar-se por adquirida, erradamente, a insustentabilidade do actual sistema, posição que ficou em minoria, embora o debate não tenha permitido um aprofundamento razoável deste ponto.

Foi sugerido por um dos intervenientes que a reforma do Estado social deveria ser encarada como uma questão técnica e não ideológica, acrescentando todavia, em aparente contradição, que teriam de ser sempre respeitados os dois princípios básicos que o fundamentam: redistribuição e solidariedade. Numa tentativa de síntese que não poderá ser tomada como comum, considerou-se que a reforma do Estado social será sempre a combinação de dimensões técnicas e ideológicas, que se exprimem finalmente em escolhas políticas. E essas escolhas, se não forem devidamente ponderadas no tempo certo, arriscam-se a ficar reduzidas a meras respostas de emergência a um constrangimento financeiro, em vez de reflectirem o propósito de construir um sistema determinado por objectivos claros, ao serviço de um conceito claro de protecção social, fundado em princípios de sustentabilidade igualmente claros, estáveis e credíveis.

O conflito de gerações é inevitável?

Pareceu haver no início uma divergência muito clara na resposta à pergunta que definia o debate, fruto de uma diferente interpretação da noção de conflito, aplicada à expressão "conflito de gerações". A evolução da discussão acabou por eliminar esta divergência inicial, permitindo concluir, por consenso explícito, que "o conflito de gerações é inevitável, saudável e mesmo necessário". Um dos intervenientes contribuiu decisivamente para esta posição comum, ao definir o conflito de gerações como um conflito de interesses objectivos e subjectivos, que correspondem às diferentes fases do ciclo de vida e que por isso se reflectem num conflito etário. Esse conflito etário não tem que se traduzir necessariamente num confronto e as suas formas e conteúdos estão fortemente relacionados com os temas que marcam a vida social em cada período histórico. Neste sentido, cada geração afirma a sua identidade e as novas gerações do presente e do próximo futuro tenderão a marcá-la em função das novas expectativas que lhes são permitidas no âmbito do trabalho e do emprego, da organização da família, da repartição dos recursos e direitos, ou mesmo, como foi sugerido, do conflito que se manifesta na transferência de poder dos países desenvolvidos para os emergentes.

Há, portanto, factores de tensão inter-geracional, que podem vir a assumir formas de confronto com uma natureza inovadora em relação aos paradigmas do pós-guerra (*Rebel without a cause*, Maio de 68), centrando-se agora cruamente em torno do trabalho e dos direitos sociais, incluindo a reforma. Tratar-se-á, por outras palavras, de um confronto sobre a repartição inter-geracional de recursos que se mostram cada vez mais escassos, ao mesmo tempo que a narrativa sobre o progresso se interrompe, porque o passado, ainda bem vivo e instalado, se mostra agora mais atraente do que a perspectiva do futuro. Como disse um dos intervenientes, os direitos sociais, ou mesmo os próprios direitos humanos, como são hoje concebidos, nasceram do trabalho e vão mudar com a mudança do trabalho enquanto factor estruturante do ciclo de vida e da organização social, envolvendo a estabilidade do emprego e o conceito de carreira, a formação e evolução da família, a educação e integração das novas gerações, a preparação da morte. A urbanização, a precariedade, a mobilidade do trabalho – e, portanto, das pessoas – contribuirão para acentuar a separação ou até a segregação de gerações, ao mesmo tempo que põem objectivamente em causa a família tradicional, cuja função anteriormente quase exclusiva de reprodução e formação se vai esbatendo, como ilustram, por exemplo, as estatísticas da fecundidade, casamentos e divórcios. Um dos elementos novos desta nova realidade – sugeriu um dos intervenientes – é que passou agora para a esfera pública, por efeito do Estado social, o que antes se tratava essencialmente na esfera privada e era dirimido no seu razoável recato e nos limites da sua restrita economia. Esta alteração estrutural da instituição familiar foi interpretada como consequência definitiva e inelutável da alteração material da própria sociedade e não como efeito de uma "crise de valores" hipoteticamente efémera. E, por isso, o painel preferiu concluir que a família "está a ser redesenhada" e não "desestruturada", expressão mais comum na descrição deste processo. Esta distinção pretende significar que a família está a redefinir-se sob múltiplas formas e modelos e deixará progressivamente de ter um padrão fixo. Numa visão optimista, que apesar de tudo foi sempre marcando um debate muito pragmático, alguém defendeu, sem clara oposição mas sem aprofundamento suficiente, que esta evolução pode ter efeitos positivos, porque favorecerá uma sociedade mais inter-geracional, menos dominada pelas imposições do ciclo do trabalho, procriação e consumo, abrindo espaço à humanidade, à liberdade de escolha e aos desígnios da felicidade individual. A mobilidade, a menor estabilidade do emprego e a reforma activa foram invocadas como factores que irão esbater a rigidez da estratificação geracional e dar origem a uma nova segmentação no interior das próprias classes etárias, tema que iria estar muito presente na sessão seguinte sobre o envelhecimento e a resistência à mudança.

O envelhecimento torna as sociedades mais resistentes à mudança?

Ao contrário do que se passou nas duas sessões anteriores, houve de facto três respostas diferentes à pergunta inicial: "sim", "não" e "depende"; com mais ou menos acertos, essa diferença acabou por não ser inteiramente resolvida pelo debate.

A principal razão da divergência terá resultado da forma tendencialmente subjectiva como cada um dos intervenientes abordou a questão, em resultado das suas distintas experiências individuais ou visões sobre a vida e o Mundo. Um deles respondeu claramente que haveria mais resistência, mas perguntou se isso seria necessariamente mau, uma vez que a mudança não é necessariamente boa; outro, invocando o seu ambiente profissional, afirmou que a resistência à mudança existe em todas as idades e que muitas vezes os mais novos são os menos disponíveis para a aceitar, pelo menos nesta esfera mais restrita. Uma terceira perspectiva, menos subjectiva, identificou duas tendências de sinal contrário que contribuem para determinar a resposta: por um lado, *sim*, haverá mais resistência à mudança, porque o envelhecimento não resulta de termos velhos a mais, mas novos a menos; por outro lado, *não*, porque os velhos irão deixar de ser o que eram dantes – terão menos medo e mais saúde, mais educação, serão mais activos e por isso mais intervenientes até mais tarde.

E assim se foi introduzindo, com grande evidência, um tema forte, também muito presente nas anteriores sessões: o envelhecimento activo, o trabalho para além da reforma, a ideia de um idoso feliz e útil, com uma função de integrador geracional, numa sociedade capaz de reconhecer e aproveitar a sua sabedoria. Como nas duas anteriores sessões, esta ideia foi expressa num tom marcadamente optimista, talvez influenciado pela visão que a classe média (ainda) tem de si própria e parecendo por vezes alheado da realidade portuguesa. Como nas outras sessões, não se falou com tempo suficiente de pobreza, de desemprego, de exclusão, de solidão. Porém, um dos intervenientes sublinhou que os velhos não podem ser vistos como uma classe etária uniforme, dividindo-se em subgrupos claramente diferenciados – embora não identificados no debate – ao contrário dos adolescentes e jovens, descritos como "mais gregários e semelhantes".

A experiência profissional de um dos intervenientes permitiu-lhe afirmar que "deixar o idoso isolado é perigoso", individual e socialmente. É preciso, por isso, preparar a sociedade para responder aos seus problemas específicos e facilitar a sua integração activa, incluindo no próprio sistema produtivo. Dito de outro modo, é preciso "ter uma política para o envelhecimento com pés e cabeça" – pensada, sustentada, exequível – que possa articular quatro dimensões principais: saúde, acção social, trabalho e lazer. A exemplo das duas sessões anteriores, concluiu-se que essa política não existe e que Portugal está a chegar a este debate não só tarde, mas também a más horas.

O ENVELHECIMENTO É INIMIGO DO ESTADO SOCIAL?

DO MELHOR DOS TEMPOS – E COMO VIVER COM ELE

Fernanda Câncio
Jornalista

O envelhecimento da população é um sinal de civilização. De bons cuidados de saúde, melhor habitação, melhor alimentação. De uma democracia bem-sucedida. Não era isso que queríamos?

Por outro lado, as pessoas têm menos filhos. Em grande parte por os terem quando e se quiserem, e não porque acontecem; de as mulheres controlarem a sua vida reprodutiva; de as crianças serem vistas como indivíduos com direitos, às quais se quer proporcionar uma vida o melhor possível. Outra vez mais civilização.

Podemos pois, citando Dickens, dizer que vivemos no melhor dos tempos. Que, *hélas*, cria, entre outros, desafios para o nosso sistema de segurança social. É pois preciso adaptá-lo (e à sociedade) ao facto de mais tempo de vida com mais saúde significar que as pessoas se podem manter activas até mais tarde. Já começámos a fazê-lo: em 2006 a idade de reforma foi indexada à esperança de vida (estando em convergência, como faz sentido, no sector público com a do privado) e introduzido um factor de penalização crescente no valor das pensões.

Este factor de penalização implica que quem está agora reformado recebe, genericamente, muito mais do que virá a receber quem está a trabalhar agora. É justo que quem está a meio ou a três quartos da sua carreira contributiva sofra tal penalização enquanto quem pôde terminá-la mais cedo passa incólume? Não fará mais sentido que se proceda a um ajustamento, nomeadamente nas reformas de valores mais altos, compatibilizando o tipo de cálculo do valor da prestação para os já reformados com o que agora vigora? Dir-se-á que não se devem mudar as regras a meio do jogo – mas estas mudaram para quem ainda está no mercado de trabalho. E o princípio da solidariedade inter-geracional não deve colocar-se nos dois sentidos?

Outra sugestão: se é já hoje interdito a um reformado desempenhar um cargo público acumulando o salário com a reforma, não deveriam os reformados que trabalham no privado sofrer um ajustamento na prestação, à imagem do que se passa já no subsídio de desemprego quando é acumulado com actividade remunerada?

Não se trata de desincentivar a permanência na vida activa, mas de adequar a prestação à situação. E, afinal, de saber para que serve a reforma: é uma prestação para substituir o rendimento directo do trabalho e garantir a sobrevivência digna dos que já não podem trabalhar ou algo a que as pessoas têm direito, por inteiro, a partir de uma certa idade, independentemente de se manterem na vida activa?

O enquadramento jurídico e constitucional destas matérias é complexo. Mas, na perspectiva da manutenção de um Estado social que não se restrinja a mínimos é necessário pensar o sistema e, no espírito da reforma de 2006, tentar garantir-lhe a sustentabilidade sem perder de vista o princípio fundamental da solidariedade. E sem o instrumentalizar como parte de uma agenda ideológica – seja em que sentido for.

CONVERSA INESPERADA

Fernando Ribeiro Mendes
Economista · Professor do Instituto Superior de Economia
e Gestão da Universidade Técnica de Lisboa

1.

Segundo todas as projeções da população portuguesa, o Estado social tal como o construímos nas décadas de 1980-90 é demograficamente insustentável.

- Em termos de Segurança Social, isso implica a continuação de ajustamentos à demografia dos montantes das pensões (e outras prestações sociais) recebidas, do tipo do fator de sustentabilidade vigente.

2.

Sê-lo-á também economicamente (a menos que a economia crescesse duradouramente acima dos 2,5-3 por cento, o que nem os mais optimistas se atrevem a conjeturar) e, sendo assim, as reduções dos valores reais das prestações da Segurança Social irão continuar, através de:

- Valores nominais das prestações sociais congelados
- Redução por via fiscal dos valores recebidos pelos beneficiários
- Revisões das fórmulas de cálculo das prestações.

3.

A sustentabilidade financeira (equilíbrio entre receitas e despesas da Segurança Social no longo prazo) continuará ameaçada pela conjunção dos fatores demográfico e económico.

- A perspetiva de desagravamento contributivo das empresas e dos cidadãos continuará longínqua, na ausência de alternativa fiscal compensatória exequível.

4.

O que podemos esperar no futuro?

Mais do que vivermos uma crise económica, vive-se a crise do paradigma económico que herdámos do século XX. Para nos ajustarmos a um novo paradigma económico:

- Devemos trabalhar até mais tarde e fora do quadro de emprego protegido que prevaleceu até há pouco tempo
- Gradualização da passagem à reforma
- Passagem a um regime de capitalização de tipo virtual (como na Suécia) tornando o benefício totalmente contingente da evolução demográfica e económica.

5.

Como nos podemos preparar financeiramente para a velhice?

- Devemos mudar de vida tornando-nos mais frugais nos consumos, poupando mais quando a vida nos corre melhor...
- Há que discutir e desenvolver um novo conceito de segurança social, mais previdencial do que providencial, com multicoberturas na saúde, empregabilidade e parentalidade, como na velhice e na dependência, e cujo financiamento tenha origem quer na valorização de poupanças, quer em impostos mas de forma sustentável.

O ENVELHECIMENTO é INIMIGO do ESTADO SOCIAL?

Pedro Pita Barros
Professor da Nova School of Business and Economics

A minha resposta é "não". Não vejo o envelhecimento como um inimigo do Estado social. O Estado social não é uma instituição imutável ou uma regra inalterável. O Estado social é uma resposta da sociedade a problemas. E se os problemas evoluem, as respostas devem acompanhar essa evolução.

O envelhecimento constitui uma ameaça, ou melhor, um desafio ao Estado social tal como ele está desenhado actualmente, não ao Estado social enquanto ideia de resposta a problemas da sociedade.

Dentro do Estado social, as pensões e a segurança social exercem uma pressão muito diferente da associada com os cuidados de saúde.

As pensões são o aspecto do Estado social que é mais sensível ao envelhecimento. Os aspectos relacionados com a saúde são distintos e, ao contrário do que ainda muitas vezes se diz, o envelhecimento não é um inimigo do Estado social no campo da saúde. O envelhecimento não tem sido fonte de despesas incontroláveis no campo da saúde financiado por dinheiros públicos. Os desafios trazidos pelo envelhecimento ao Estado social no sector da saúde são sobretudo de organização – em lugar da centralidade do hospital, característica dos últimos 30 anos, deverão ganhar espaço os cuidados de saúde prestados na comunidade, bem como o seguimento das doenças crónicas e a sua gestão pelo próprio doente de forma mais autónoma.

No campo de apoio às situações de desemprego e na procura de novo emprego, há flutuações conjunturais consoante o estado da actividade económica. Porém, a não ser que o chamado desemprego estrutural se fixe em valores muito elevados, não é um problema que coloque em causa os fundamentos do Estado social.

No campo da educação, dificilmente se poderá dizer que o envelhecimento traz problemas particulares.

Daí a tendência natural para nos focarmos em áreas como as pensões e a segurança social, que são, na realidade, as mais afectadas. Neste campo, a minha razão para dizer "não" à pergunta de partida está em que devemos e podemos repensar o Estado social nesta área. Para o fazer, temos que desligar primeiro dos problemas financeiros. Depois, teremos que os introduzir, naturalmente, mas como restrição ao que é possível fazer e não como objectivo em si mesmo.

Desligar dos problemas financeiros significa pensar no que queremos do sistema de pensões, pensar no papel que tem o Estado social nessa protecção.

A minha sugestão é começar-se por analisar o papel do Estado social no que toca a pensões, como sendo uma protecção na fragilidade associada ao fim de vida, o que significa pensar e definir o que é essa fragilidade e o que é esse fim de vida. Pensar que componente de responsabilidade individual e que componente de solidariedade social devem estar presentes. A partir daqui poderemos construir a resposta que queremos dar como sociedade e definir o tipo de Estado social que pretendemos.

As restrições de recursos a esse Estado social desejado podem então ser adicionadas e ver que Estado social é possível ter face às condições económicas do país. Mas comecemos pela ambição do que queremos ter como Estado social e não pelas limitações.

O CONFLITO DE GERAÇÕES É INEVITÁVEL?

Kalaf Angelo
Músico

Ser jovem é incómodo, ser velho é chato! Foi com essa ideia que parti para o CCB para discutir, ouvir sobre o "Presente no Futuro", imaginar os Portugueses em 2030 e dissertar sobre "O conflito de gerações é inevitável?". Para mim, que nasci em 1978, perpetuar a ideia de que entre duas gerações haverá sempre discordância, que o conflito entre o novo e o velho estará sempre presente, não é necessariamente correto, nem positivo. Relações intergeracionais maduras, de respeito e compreensão mútua, podem ser alavancadas a partir da base de entendimento que são as boas ideias. As boas ideias – e claro que nem todos vão concordar sobre aquilo que é "bom" – serão, se houver o tal sentido de responsabilidade, cultivadas, preservadas e divulgadas por todos, independentemente da idade. Afinal de contas, ser adulto é bastante mais do que discordar da opinião das gerações que nos antecedem ou precedem.

Sendo eu proveniente de um continente que, muito embora seja o berço da Humanidade, sofre de carências graves, muito delas aliadas à forma como aí gerimos o conhecimento, e vivendo num continente onde essa partilha do conhecimento é feita de forma bem mais eficaz, posso dizer-vos que acredito totalmente no poder do conhecimento como alicerce intergeracional. E no topo dessa relação, coloco as novas tecnologias de informação.

O conflito de gerações é inevitável? Acredito no compromisso, porque não podemos deixar de equacionar o factor tempo e as mudanças sociais no espaço onde estamos inseridos. O trabalho enquanto direito e dever é a herança que me foi dada pelas gerações passadas e provavelmente serão estes mesmos valores que irei transmitir aos que se seguem, mas com a consciência de que o trabalho, embora sendo parte importante das nossas vidas em sociedade, não pode ser o molde e nem a definição do nosso ser, caso contrário nunca iremos ter uma percepção real do que somos enquanto indivíduos. O tempo dedicado a perceber qual é o nosso papel no grupo não deverá ser inferior ao tempo que dedicamos para entendermos o eu.

O cepticismo com que nos habituámos a olhar para o futuro tem como base o conceito "antigamente é que era bom", impossibilitando que se instale uma nova corrente de pensamento alicerçada na ideia de que "o amanhã poderá ser melhor" se aproveitarmos as oportunidades que se apresentam, se redesenharmos a forma como vivemos em grupo, usando o conhecimento que herdámos, desafiando dogmas e o medo do desconhecido. Empreendedorismo não é só um termo exclusivo de empresários e políticos, nós enquanto sociedade não podemos abdicar desse exercício e só investir em ideias quando somos chamados às urnas de voto. Cultivar o espírito empreendedor no indivíduo, evitando as armadilhas do dinheiro rápido, sonhos de consumo e enriquecimento a qualquer custo, que só nos empobrecem enquanto sociedade. Aspiro viver numa sociedade plural e não num mundo de doutores, engenheiros e estrelas de televisão. O conhecimento serve para nos desafiarmos enquanto grupo, para estimular ideias que contribuam para o avanço das sociedades em que vivemos.

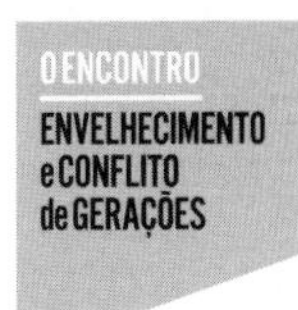

Manuel Villaverde Cabral,
Director do Instituto do Envelhecimento da Universidade de Lisboa

Na minha opinião, não se pode responder de forma taxativa à pergunta. Contudo, sou dos que pensam que as relações geracionais – mais exactamente, as relações entre grupos etários presentes a cada momento numa dada sociedade – nunca são despidas de conflitualidade e correm sempre riscos muito importantes.

É exacto que, em sociedades ainda bastante tradicionais como a portuguesa, as relações familiares e de amizade entre pessoas de diferentes idades, dos avós aos netos, tendem a ser densas e marcadas pelo afecto, como verificámos estatisticamente no nosso estudo recente promovido pela Fundação Francisco Manuel dos Santos (FFMS).

Contudo, o meu maior interesse neste tema tem que ver, efectivamente, com o potencial conflito que essas relações encerram do ponto de vista do envelhecimento acentuado das populações, especialmente em Portugal, que é um dos países mais envelhecidos do mundo (perto de 130 pessoas de 65 e mais anos para 100 crianças e adolescentes até aos 15 anos) e, inversamente, com um dos índices de fertilidade mais baixos do mundo (1.3), estando nós, portanto, muito longe da substituição de gerações.

A minha principal referência teórica é o livro de 1988, inteiramente actual no entanto, do filósofo norte-americano Norman Daniels, professor de Ética da Harvard Medical School, *Am I my parents' keeper? – An essay on justice between the young and the old* [*Sou eu o guardião dos meus pais?*], segundo o qual o destino das gerações mais jovens *não pode nem deve ser* o de cuidarem dos seus antepassados, como também estes não podem ficar na dependência dos esforços daqueles.

Falarei por conseguinte do debate em curso sobre o dito conflito intergeracional (referências: B. Turner; S. Irwin; S. Arber; C. Attias-Donfut, etc.), com o foco em quatro tipos de riscos sistémicos, isto é, ameaças e custos que não só ultrapassam os planos familiar e interpessoal, como tendem a agravar as desigualdades sociais entre as famílias mais ricas e as mais pobres, ou seja:

- *os riscos inerentes ao envelhecimento biológico*, ou seja, aquilo a que os sociólogos franceses chamam a *déprise*, a desvinculação, que também encontrámos no nosso estudo e à qual alguém como Norbert Elias, em *A solidão dos moribundos* (1982), já se referia como «o arrefecimento das relações sociais», até à dependência física e à emergência das demências associadas à longevidade;
- *os riscos inerentes à sustentabilidade dos sistemas de saúde e sobretudo da segurança social*, desde as reformas e pensões até aos cuidados pessoais à velhice dependente; um exemplo deste conflito latente é a recentíssima emergência em Portugal da ideia peregrina de responsabilizar os filhos e familiares pelos idosos carentes;
- *os riscos associados à equidade financeira* entre os grupos etários, desde a competição nos mercados de trabalho até ao apoio mútuo que os diferentes grupos supostamente devem uns aos outros;
- finalmente, os *riscos de conflitos socioculturais mútuos* (o chamado "idadismo", ou seja, a discriminação por causa da idade) devidos à evolução tecno-profissional, tipicamente numa sociedade como a portuguesa, por exemplo, ao nível do acesso à informática, mas não só.

Por último, podemos perguntar se não haverá qualquer tipo de relação sistémica entre a relativa decadência económica da Europa, bem como dos próprios Estados Unidos da América e do Japão, perante as potências económicas emergentes e o envelhecimento das sociedades europeias, norte-americanas e japonesa, tendo em atenção o facto de esse envelhecimento se dever tanto ou mais à queda da natalidade do que a própria longevidade das nossas sociedades?

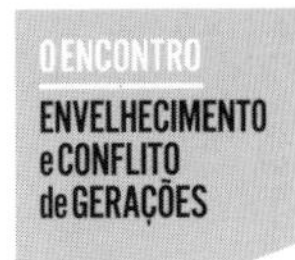

Maria Joaquina Madeira
Coordenadora do Ano Europeu do Envelhecimento
Activo e da Solidariedade entre Gerações

A discussão em painel do tema "O conflito de gerações é inevitável?" trouxe naturalmente mais elementos e enriqueceu os conteúdos, transcendendo assim as nossas propostas iniciais.

Relevo, assim, estes pontos para reflexão:

As gerações estão de facto "condenadas" a entenderem-se e a aproximação das idades, na vivência quotidiana, ajudará a essa compreensão mútua apesar das diferenças, próprias e compreensíveis, entre gerações.

A questão das relações geracionais coloca-se ao nível intrafamiliar e relativamente à sociedade como um todo.

As famílias são o espaço natural das gerações, que por razões de vária natureza não têm tido a capacidade de juntar as idades e darem assim oportunidade às crianças e jovens de viverem e crescerem entre diferentes gerações.

Por outro lado, a sociedade tem dado mostras de lidar mal com o factor idade, segmentando os cidadãos em razão do tempo que vivem e não em razão das suas competências, talentos e qualidades.

Ora, os sistemas de trabalho e proteção social estruturaram-se a partir dos papéis próprios de cada idade. É de facto uma sociedade ainda marcada pelo modelo industrial que agora está, como sabemos, posta em causa, sendo o momento de crise que estamos a viver o sinal de mudança deste paradigma.

Este facto gera uma tensão acrescida, pois a sociedade atual, mais centrada no conhecimento e nas tecnologias de informação, vem esbater o factor idade no acesso ao trabalho e às oportunidades, ao mesmo tempo que o produto "emprego", tal como o conhecemos, está a evoluir na forma e na modalidade de organização.

Afinal, estamos confrontados com a necessidade de re-imaginarmos uma nova sociedade e, para isso, todos em qualquer idade somos chamados a cooperar.

O conhecimento e a experiência dos mais velhos são valores incontornáveis, assim como a visão dos mais jovens para alcançarmos a inovação indispensável que nos permita traçar novos rumos numa sociedade que se pretende mais **inclusiva**, **sustentável** e **humana**.

O ENVELHECIMENTO TORNA AS SOCIEDADES MAIS RESISTENTES À MUDANÇA?

ENVELHECER EM MOLEDO

[António Sousa Homem] – Francisco José Viegas
Escritor

O velho Doutor Homem, meu pai, trabalhou até aos setenta, um pouco como era costume na família. A parte dela que não desapareceu no interior do Minho (uma minoria) parece ter simpatizado vagamente com o cartismo, por conveniência e cinismo; a que sobreviveu devia ter sido Regeneradora depois da década de sessenta, mas tinha uma certa noção do ridículo e manteve-se à parte, ultrapassando a República, a tentação do Dr. Salazar e chegando até aqui incólume. A partir de certa altura, como recordava a Tia Benedita (a matriarca ultramontana), os Homem viveram do seu trabalho limitando-se a conservar em condições o retrato do Senhor Dom Miguel ao fundo do corredor do casarão de Ponte de Lima – hoje, é a minha sobrinha Maria Luísa, a eleitora esquerdista da família, que o leva periodicamente para observação.

Somos demasiados, demais – os velhos. Os meus irmãos explicam-me que isso constitui um desastre para as contas do Estado, para o futuro da pátria e para o bem-estar dos vindouros. Argumento que isso se deve ao mito da eterna juventude muito em voga hoje em dia, num mundo cada vez mais adolescente, pouco dado a sacrifícios e onde o optimismo se reduz a acreditar que se pode viver com mais facilidade. Não pode. Eu trabalhei até aos setenta; o meu avô, que percorreu o vale do Douro cuidando da contabilidade dos seus clientes, retirou-se aos setenta e dois, porque sofria de doenças do século passado. A minha família (sobretudo as minhas irmãs) sempre pensou que eu tinha nascido depois da adolescência; eu tento explicar que o grande segredo é aceitar que se envelhece, ao contrário do que sucede num país onde se passa radicalmente da acne juvenil (e das suas ilusões) para o reumatismo e para a hipocondria.

A promessa de uma vida eterna é o prémio – e a ilusão – dos tempos modernos e de uma sociedade adolescente. Não é preciso ter lido Cícero ou Séneca para compreender que não é a idade ou o conhecimento que conferem sabedoria ao ser humano – mas o tempo, que recomenda prudência e intensidade em simultâneo. Numa família conservadora como a nossa, preferimos exibir a prudência e dissimular a intensidade, mas era pura hipocrisia: apesar dos esforços em prolongar a vida até à eternidade, o que resulta é que se encurtou a "vida útil", transformando os velhos em "grupos de risco", incapazes de consumir, de enriquecer e de serem belos.

A minha sobrinha Maria Luísa inveja-me a biblioteca, que eu lhe cedo aos poucos. Mas insiste que devo acompanhá-la em passeios de sábado pelas dunas de Moledo; ela acha que um velho tem direito a prolongar a vida até onde chegar a beira do mar.

O ENVELHECIMENTO TORNA as SOCIEDADES MAIS RESISTENTES à MUDANÇA?

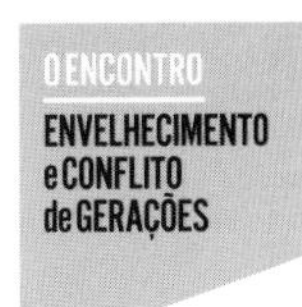

Fátima Barros
Professora da Católica Lisbon School of Business & Economics

As sociedades europeias tendem a encarar o envelhecimento como um fenómeno social negativo, em que os mais velhos constituem um encargo: para além de sobrecarregarem o Estado social em termos de pensões de reforma e de cuidados de saúde, os mais velhos são encarados como um obstáculo à mudança. Contudo, o aumento da esperança de vida enriquece o capital humano de um país pois os mais velhos possuem uma experiência, uma maturidade e uma especialização que não podem ser desperdiçadas. Por outro lado, os velhos de amanhã não vão ser iguais aos velhos de hoje, vão ter níveis de educação mais elevados, compreenderão melhor o mundo digital e terão mais facilidade em adaptar-se à mudança. Por isso, o grande desafio é combater dois estereótipos:

1.º Envelhecer significa tornar-se resistente à mudança e ser incapaz de se adaptar a novas situações

Tendencialmente, os mais velhos têm dificuldades de adaptação a novas tecnologias e sentem mais aversão ao risco, o que as leva a desconfiar das mudanças. Contudo, a capacidade de se adaptar a novas situações varia de indivíduo para indivíduo dentro do mesmo grupo etário. De um modo geral, os indivíduos tendem a demonstrar resistência à mudança sempre que esta representa uma ameaça às posições e direitos adquiridos, o que é transversal a todas as idades. Existem estudos que demonstram que nas organizações os trabalhadores mais velhos conseguem adaptar-se a alterações tecnológicas desde que lhes seja dada a formação necessária. Por isso é fundamental que as sociedades modernas invistam na formação dos mais velhos, pois isso permitirá mantê-los ativos durante mais tempo.

2.º Envelhecer implica uma redução da capacidade de aprendizagem.

Certos estudos mostram que a capacidade de aprendizagem dos indivíduos está fortemente ligada à sua educação de base e às experiências ocorridas ao longo das suas vidas. A diferença na capacidade de aprendizagem entre os mais velhos e os mais novos deve-se, em larga medida, ao facto de os coortes mais velhos terem, em média, níveis de escolaridade mais baixos, que dificultam a aquisição de novos conhecimentos. A capacidade de aprendizagem depende também das experiências passadas: indivíduos que tenham trabalhado em ambientes que obrigam a um processo contínuo de aprendizagem mantêm maiores capacidades de se adaptarem a novas tarefas e a novas tecnologias à medida que vão envelhecendo.

Nas sociedades mais desenvolvidas é de esperar que os indivíduos vivam mais tempo com boas condições de saúde que lhes permitam manter-se ativos em termos profissionais. Com a tendência para as gerações sucessivas terem níveis de educação mais elevados e o facto de vivermos em sociedades cada vez mais tecnológicas, que requerem formação ao longo da vida, os mais idosos vão manter uma elevada capacidade de aprendizagem que lhes permitirá adaptarem-se a novas funções e continuarem a criar valor.

Para que no futuro possamos ter idosos produtivos, criativos e aptos a adaptar-se a novos desafios temos que apostar na formação dos adultos do presente. A educação é a chave para o futuro.

O ENVELHECIMENTO TORNA as SOCIEDADES MAIS RESISTENTES à MUDANÇA?

João Barreto
Fundador da Associação Portuguesa de Gerontopsiquiatria

Dentro de 30 anos haverá mais idosos, mas o facto que maior repercussão terá na vida social é que haverá menos jovens e menos adultos abaixo dos 50 anos. Isso pode fazer com que a sociedade se torne, globalmente, mais influenciada pela maneira de ser e de reagir dos idosos. Teme-se, em particular, que ela fique mais resistente à mudança...

Ora, independentemente de se especificar de que mudanças falamos, se para melhor se para pior, é verdade que os idosos não são naturalmente propensos a mudar por mudar. Em regra são conservadores: não tanto porque se voltem mais para objectivos políticos direitistas, mas antes no sentido de serem mais sensíveis aos perigos das mudanças precipitadas e mais atentos aos resultados concretos do que às retóricas generosas.

Mas há riscos nisso. Os idosos poderão ser mais sábios e prudentes que os mais novos, mas tem-se visto que eles também poderão, em certos casos, ficar demasiado rígidos, imobilistas e insensíveis às necessidades dos outros. Há o perigo real de se tornarem intolerantes. Temos os exemplos históricos do Estado soviético e do Colégio dos Cardeais.

Na origem dessa perigosa rigidez do idoso está, provavelmente, o seu isolamento progressivo, a falta de contacto com as realidades das outras gerações. O remédio estará, então, em não os segregar como classe etária, mas promover o seu convívio e a sua cooperação activa com pessoas de outras idades. O contacto entre gerações pode gerar atritos e dificuldades, mas acaba geralmente por ser fonte de satisfação e de compreensão mútua.

Os idosos são diferentes dos mais novos, mas também são muito diferentes entre si. Há que atender à especificidade de cada um e promover a sua estimulação física e mental, atendendo às suas preferências. Há também que remover os entraves a que recebam e transmitam informação, e isto vai desde detectar e tratar os défices sensoriais até promover a leitura, a convivialidade e o uso da Internet. Quanto a este último, não esquecer que o idoso aprende de maneira diferente dos mais novos, pelo que será necessário aplicar métodos específicos no ensino que lhe seja dirigido: uma "gerontagogia", como já se lhe chamou.

Assim, nos dez ou 15 anos de vida activa e autónoma que se prevê possamos poder gozar depois das nossas reformas, seremos participantes activos na vida social e nunca uma pesada sobrecarga para os outros.

TESTEMUNHO DO MODERADOR

Carlos Vaz Marques
Jornalista

quando formos velhos
se um dia formos velhos
quem irá querer saber
quem tinha razão

Manel Cruz / Ornatos Violeta

Não sei – e dava-me agora demasiado trabalho ir fazer essa pesquisa, embora isso esteja certamente escrito algures, registado num qualquer arquivo, vivo ou morto –, não faço ideia com que esperança média de vida vim ao mundo no ano já longínquo de 1964.

Descobri entretanto que sou da idade de Malta e do Malawi – dois países aonde nunca fui e aonde provavelmente nunca irei – e desconheço que significado atribuir a este facto. Malta e Malawi serão, portanto, países ainda muito jovens em 2030; eu, se nenhum imponderável me impedir de estar vivo nessa altura, serei já quase um ancião de 66 anos.

Pergunta: com que idade nos tornamos velhos?

Lembro-me de pensar, ainda de calções, a pedalar energicamente no meu triciclo pelo Jardim da Parada, em Campo de Ourique, que a senhoria da casa onde vivíamos, a D. Josefa, mulher dos seus 50 e poucos anos, era uma velha muito velha.

Hoje, em Portugal, um recém-nascido do sexo masculino chega ao mundo com uma esperança de vida de mais de 76 anos. A das mulheres ultrapassa os 82.

Pergunta: aquilo que é uma extraordinária conquista em termos individuais poderá tornar-se um problema dramático em termos sociais?

Para começar, temos o modo como as diferentes gerações olham umas para as outras e aquilo a que os sociólogos chamam o "idadismo", ou seja, os factores de exclusão ligados à idade. O problema existe, não há como ignorá-lo, sobretudo no mundo do trabalho.

"Idadismo" e conflito de gerações não são necessariamente a mesma coisa. Serão até, nas circunstâncias mais favoráveis, conceitos diametralmente diferentes. No conflito de gerações pode haver desencontro, zanga, ranger de dentes, mas sobretudo há o impulso dinâmico que permite às sociedades combaterem o imobilismo. Sim, o conflito de gerações é inevitável. E quando não redunda no "idadismo" é positivo e saudável.

Depois, há o retrato que cada um de nós faz das diferentes idades e o modo como esse retrato se vai alterando, em cada um de nós, à medida que os anos vão passando. Com a idade, a nossa perspectiva da idade dos outros transforma-se por completo. Muito mais do que a ideia que temos a respeito de nós próprios.

Foi o filósofo Jean-Paul Sartre, se não me engano, que disse ou escreveu um dia que todos nós, depois de atingirmos a idade adulta, nos vemos a nós mesmos, permanentemente, qualquer que seja o escalão etário em que nos encontremos, como adultos jovens. O corpo é que vai deixando, pouco a pouco, de acompanhar aquilo que somos, impondo-nos, por vezes, uma sensação de estranheza a que nem sempre será fácil adaptarmo-nos.

Pergunta: havendo cada vez mais velhos à nossa volta, sentir-nos-emos menos sozinhos na velhice?

Uma das ideias feitas a respeito da chamada terceira idade é a de que há nela muito maior homogeneidade do que noutros períodos da vida; isto é, que há mais em comum entre os velhos do que entre os novos, para usar uma terminologia grosseira. Será assim? Talvez não. A idade, com o seu fardo de experiências diversas, com a sua multiplicidade de vivências acumuladas, vai fazendo com que individualmente nos distingamos cada vez mais uns dos outros, cada vez mais únicos naquilo que de mais pessoal trazemos em nós.

Nessa diversidade, há contudo necessidades comuns: mais medicamentos, mais cuidados de saúde, maior acompanhamento para uma fase da vida em que se volta a acentuar uma dependência de terceiros como só nos acontecera na primeira idade.

Pergunta: e quem vai pagar?

A mais cruel das perguntas precisa de respostas claras. Essas respostas são inevitavelmente políticas. O envelhecimento é inimigo do Estado social? Sim, não, talvez. Depende de como encararmos a noção de solidariedade entre gerações. Por agora, há ainda um consenso razoavelmente amplo, pelo menos no aspecto retórico: ninguém assume que quer acabar com o Estado social. Mas a bomba-relógio a que chamamos demografia está a fazer um tiquetaque cada vez mais audível.

Em 2030, já não seremos os mesmos.

O ENCONTRO
FAMÍLIAS, TRABALHO e FECUNDIDADE

FACTOS PARA O DEBATE

As famílias estão a mudar. Menos casamentos, mais famílias reconstituídas, mais famílias monoparentais, mais casais sem filhos e mais nascimentos fora do casamento são algumas das evidências. Por outro lado, o número de nascimentos em Portugal nunca foi tão baixo e já é menor que o número de óbitos. Será que os tempos de trabalho e de família estão mesmo a competir? Quantas famílias e quantos tipos de família uma pessoa poderá experimentar ao longo da sua vida? Qual o papel das mulheres em tudo o que se está a passar? E o papel dos homens mantém-se o mesmo?

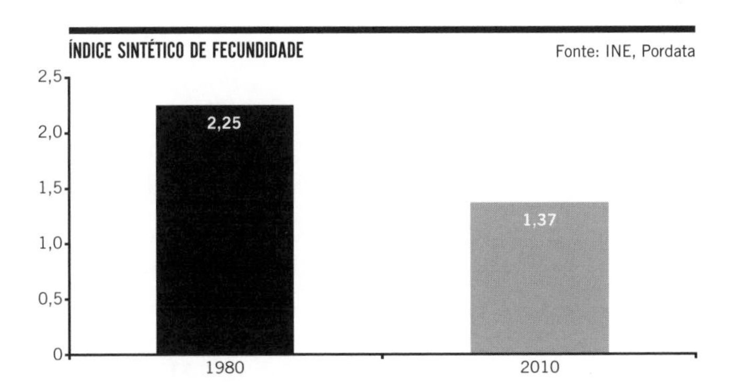

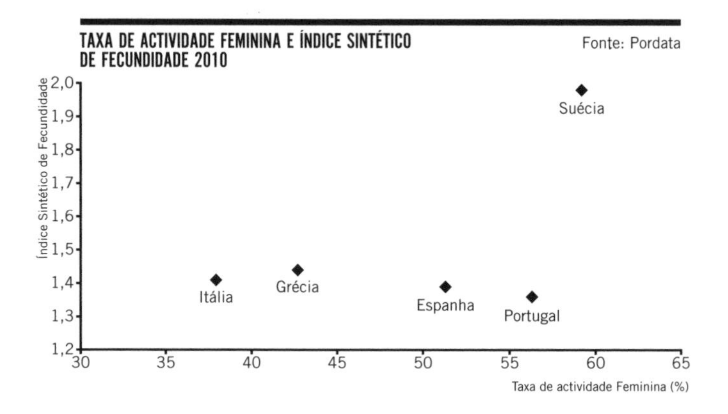

Família

Os tipos de família têm vindo a sofrer alterações significativas. Que tendências se verificam?

- Os casais com ou sem filhos constituem o tipo de agregado mais representativo: 61 por cento do total de famílias.
- Os casais com filhos têm vindo a perder expressão: representam hoje 38 por cento, enquanto em 1992 eram mais de 45 por cento.
- O tipo de agregado que mais tem aumentado em número tem sido o das famílias unipessoais: passou de 402 400 em 1992 para 758 100 em 2011. Mais de metade destas famílias são constituídas por pessoas com 65 e mais anos.
- O número de casamentos tem vindo a diminuir. Em contrapartida, o número de divórcios tem aumentado. O número de divórcios representa cerca de 70 por cento do número de casamentos anuais.
- As mulheres são as titulares da grande maioria dos agregados monoparentais (87 por cento).
- Em 2011, 43 por cento dos nados-vivos nasceram fora do casamento. Até 1982 essa percentagem foi sempre inferior a 10 por cento.
- Em 11 por cento dos nascidos em 2011, os pais não coabitavam. Este valor é o dobro do registado em 2000.
- Em 2010, a idade média das mulheres ao nascimento do 1.º filho é de 28,9 anos; ou seja, cerca de cinco anos e meio mais tarde do que em 1986.

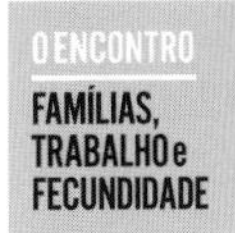

Trabalho e Fecundidade

Em 2010, o índice sintético de fecundidade era de 1,37 filhos por mulher, sendo de 2,1 o número mínimo de substituição de gerações. Foi em 1982 que Portugal deixou de assegurar esta substituição. Há relação entre o emprego e a fecundidade? E entre as condições de saúde e a fecundidade?

- A quase totalidade dos nascimentos em Portugal ocorre em meio hospitalar, enquanto no início da década de 1960 apenas uma criança em cada cinco nascia em estabelecimento de saúde.
- Em 2010, a maioria das crianças a partir dos três anos (85 por cento), frequenta um estabelecimento do pré-escolar. Até 1980, este valor foi sempre inferior a 15 por cento.
- O rendimento médio anual das famílias, descontando o efeito da inflação, diminuiu 6 por cento durante a última década.
- Em 2011, as mulheres representam 47 por cento da população empregada. São mais 7 por cento que em 1974.
- A percentagem de mulheres empregadas a tempo parcial é em Portugal mais baixa que a média da UE: 16 por cento contra 32 por cento. Em países como Reino Unido, Alemanha, Áustria e Bélgica mais de 40 por cento das empregadas é trabalhadora a tempo parcial. Na Holanda, mais de dois terços das trabalhadoras empregadas (77 por cento) está a tempo parcial.

NOTAS SOLTAS

As famílias clássicas podem ser compostas por um só indivíduo?

Estatisticamente, o conceito de "família clássica" consiste no conjunto de pessoas que residem no mesmo alojamento e que têm relações de parentesco (de direito ou de facto) entre si, podendo ocupar a totalidade ou parte do alojamento. Considera-se, também, como família clássica uma pessoa independente que ocupa uma parte ou a totalidade de um alojamento. Em Portugal, em 2011, existiam 867 342 famílias clássicas de um só indivíduo.

A protecção da parentalidade está diferente?

Nos últimos cinco anos, ocorreram mudanças nas políticas de família em Portugal. A lei da licença parental e a lei da responsabilidade conjunta após o divórcio ou a separação são alguns exemplos de medidas públicas recentes. A "lei da licença parental" estabelece quatro modalidades de direito do pai e da mãe ao gozo de licença parental: a) licença parental inicial, b) licença parental inicial exclusiva da mãe, c) licença parental inicial a gozar por um progenitor por impossibilidade do outro e d) licença parental exclusiva do pai. A "lei da responsabilidade conjunta após o divórcio ou separação" trouxe alterações à responsabilidade parental em caso de: a) separação de pessoas e bens, b) divórcio por mútuo consentimento ou c) falta de acordo.

Os casamentos mudaram?

A partir de 2010, pela legislação do casamento entre pessoas do mesmo sexo, o casamento passou a ser um contrato celebrado entre duas pessoas, independentemente do sexo.

Existe um nível mínimo para a substituição de gerações?

Para que a substituição de gerações esteja assegurada é necessário que cada mulher tenha em média 2,1 filhos, o que corresponde a uma criança do sexo feminino. O "Índice Sintético de Fecundidade" mede o número médio de crianças vivas nascidas por mulher em idade fértil (dos 15 aos 49 anos de idade) se os níveis de fecundidade do momento de referência se mantiverem idênticos ao longo do tempo. Em Portugal, em 2010, o Índice Sintético de Fecundidade foi de 1,37 filhos.

Não basta não ter emprego para ser desempregado?

Um "desempregado" é um indivíduo com idade mínima de 15 anos que se encontra simultaneamente nas situações seguintes: a) não tem trabalho remunerado nem qualquer outro, b) está "disponível" para trabalhar de modo remunerado ou não e c) tem procurado um trabalho, isto é, tem feito "diligências" para encontrar um emprego remunerado ou não. Em Portugal, em 2011, existiam 706,1 milhares de desempregados.

A população empregada inclui diversos tipos de trabalhadores?

A população empregada pode ser classificada de várias formas a) trabalhadores "a tempo completo" ou "a tempo parcial", b) trabalhadores "por conta própria" ou "por conta de outrem", e c) trabalhadores "com contrato permanente ou sem termo" ou "com contrato a termo/ a prazo". Em Portugal, em 2011, existiam 4193,8 milhares de trabalhadores a tempo completo e 643,3 milhares a tempo parcial; 992,4 milhares de trabalhadores por conta própria (25 por cento destes, patrões) e 3815,2 milhares por conta de outrem (78 por cento destes, trabalhadores com contrato permanente).

Existem vários tipos de desempregados?

A população desempregada pode igualmente ser classificada de várias formas. Em função da existência de um emprego prévio: desempregados "à procura do primeiro emprego" ou "à procura de novo emprego"; em função da duração de desemprego: desempregados "de curta duração" ou "de longa duração"; e em função de estarem ou não inscritos nos centros de emprego. Em Portugal, em 2011, existiam 73,8 milhares de indivíduos à procura do primeiro emprego, 632,3 milhares à procura de novo emprego; 331,3 milhares de desempregados de curta duração, 374,9 milhares de longa duração e 605,1 milhares de desempregados inscritos nos centros de emprego.

Data de obtenção dos dados: Junho de 2012

Para saber mais...

Publicações

Anália Cardoso Torres, "Homens e Mulheres entre Família e Trabalho", 2004

Anna Cristina d'Addio, Marco Mira d'Ercole, "Policies, Institutions and Fertility Rates: A Panel Data Analysis for OECD Countries", 2006

David Justino, "Difícil é Educá-los", Fundação

Francisco Manuel dos Santos, 2010

Maria João Valente Rosa, Paulo Chitas, "Portugal: os números", Fundação Francisco Manuel dos Santos, 2010

Accenture "The Path Forward", 2012

Eurostat, "Europe in figures – Eurostat yearbook 2011", 2011

Eurostat, "Reconciliation between work, private and family life in the European Union", 2009

Eurostat, "One woman in ten aged 25-54

in the EU27 is inactive due to family responsibilities",

2007

Nações Unidas, "World Fertility Patterns 2009", 2010

OCDE, "Doing Better for Families", 2011

Bases de Dados

http://www.ine.pt

http://www.pordata.pt

http://ec.europa.eu/eurostat

http://www.oecd.org

http://www.un.org/en/databases

http://www.humanfertility.org

Links

http://www.apdemografia.pt

http://www.cnaf-familia. org

http://www.observatoriofamilias.ics.ul.pt

TESTEMUNHO DO RELATOR

José Vítor Malheiros
Consultor de comunicação de ciência

O trabalho é compatível com a paternidade ou maternidade?

Os Problemas

Uma explicação comum para a quebra da natalidade é a difícil compatibilidade entre trabalho e parentalidade – e, particularmente, entre uma carreira profissional muito absorvente e as exigências de uma vida familiar com filhos. Mas será possível essa compatibilidade? O que se tem de fazer para a garantir?

Será verdade que as mulheres que trabalham têm menos disponibilidade para ser mães? Será o trabalho feminino a causa (ou uma das causas) da quebra da natalidade?

E como se combate a tendência das empresas para não contratarem mulheres de maneira a evitar licenças de maternidade e o absentismo originado pela educação dos filhos? Como se evita a pressão invisível dos empregadores no sentido de adiarem a maternidade das suas trabalhadoras?

Será de facto o trabalho inimigo da parentalidade? Serão as empresas inimigas da parentalidade? Ou estarão as empresas a mudar a sua atitude em relação à parentalidade?

O que deve fazer a sociedade?

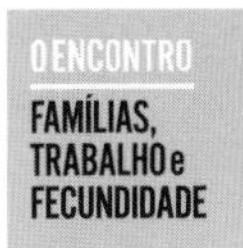

Citações

"Os homens e as mulheres valorizam igualmente o trabalho profissional. Pode haver diferenças nessa valorização entre dois países diferentes, mas não existe diferença entre homens e mulheres. E a mesma coisa acontece na realização da família. As pessoas acham que o trabalho e a família são perfeitamente compatíveis." (AT)

"As empresas não podem demitir-se deste problema [natalidade]. Não podem pensar que este é um problema que não lhes diz respeito." (MC)

"Quando uma empresa tem uma visão de longo prazo, não é relevante se uma pessoa tem de sair [devido a uma licença de maternidade/ paternidade] por quatro ou seis meses ou mesmo por um ano. O que é fundamental é contratar as melhores pessoas. E garantir que as pessoas estão contentes nas empresas porque, se não estiverem, não trabalham bem." (IV)

"As pessoas têm filhos. Não são apenas as mulheres que têm filhos, mas todas as pessoas, homens e mulheres. E isso tem de ser assumido como uma responsabilidade colectiva." (AT)

"Ter filhos ajuda-nos a ser pessoas melhores, a ser melhores líderes. E é fundamental sermos felizes para termos filhos felizes." (IV)

Conclusão

A compatibilização do trabalho e da parentalidade é algo que é indispensável levar a cabo porque é pouco provável (e é duvidoso que seja desejável) o regresso a um modelo onde apenas um dos pais trabalha fora de casa e onde o outro assume, em casa, a totalidade das responsabilidades parentais. O facto é que as mulheres se envolveram profundamente na actividade profissional e que os homens se envolvem cada vez mais nos cuidados dos filhos. Se as mulheres entraram na esfera pública e conquistaram aí o seu espaço, os homens invadiram o espaço da esfera doméstica que antes estava reservado às mulheres e conquistaram aí também o seu espaço.

Uma ideia recusada com veemência pelo painel foi o preconceito segundo o qual a fertilidade é baixa porque as mulheres começaram a trabalhar. Os estudos mostram, pelo contrário, a existência de uma correlação positiva entre o trabalho das mulheres e a fertilidade. As mulheres que trabalham querem ter filhos e têm filhos. E gostariam de ter mais filhos do que aqueles que efectivamente têm. Nem os homens nem as mulheres querem optar entre ter uma família e ter uma carreira. Todos querem compatibilizar família e trabalho. Mas é um facto que as empresas e a sociedade em geral não facilitam essa compatibilização. E é um facto que o desemprego e a precariedade afectam particularmente as mulheres.

Como se consegue então esse objectivo? O que têm de fazer as empresas e os empregadores em geral?

Parece haver um consenso nas empresas (ou, pelo menos, entre aquelas que actuam em mercados mais competitivos e baseados em mão-de-obra altamente qualificada, como as representadas no painel): as empresas precisam dos trabalhadores mais qualificados que encontram e têm de acomodar com naturalidade as eventuais licenças e ausências de trabalhadores com filhos. Existem formas de o fazer: organizando o trabalho de modo a que as licenças de parentalidade não sejam disruptivas, adoptando horários flexíveis, recorrendo a trabalho a tempo parcial, usando mais o teletrabalho. A ideia de que "não são apenas as mulheres que têm filhos" mas todas as pessoas foi repetida em diferentes tons.

Um dos gestores no painel chegou a sugerir a adopção de medidas de discriminação positiva para garantir a igualdade de oportunidades para os trabalhadores com famílias a cargo, mulheres grávidas, etc.

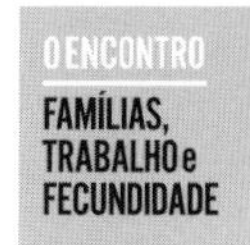

Mas este problema não deve envolver apenas as empresas e os empregadores. A sociedade como um todo deve criar um ambiente de apoio intenso à natalidade, adoptar um regime generoso de licenças, disponibilizar equipamentos de apoio à natalidade (como as creches e os jardins de infância). "Um ambiente propício à natalidade" e não subsídios pontuais, que não se revelam eficazes a prazo como medidas pró-natalistas.

Acontece que nem este ambiente se cria de um momento para o outro, principalmente em contexto de crise financeira, nem ele vai permitir atingir o almejado índice de 2,1 filhos por mulher. Mas, como lembrou um dos elementos do painel (AT), "mesmo que não se reponham as populações, é diferente para um país ter 1,3 ou 1,8 filhos por mulher".

As famílias estão em crise?

Os Problemas

A família está em crise? Em dissolução? Está à vista o fim da família? A família já não transmite valores de geração para geração? A autoridade dos pais está em desagregação? A família ainda é o porto de abrigo por excelência ou foi substituída pela rede de relações extrafamiliares? Como vão as famílias reagir aos novos problemas, do desemprego jovem, que mantém os filhos em casa, ao aumento da esperança de vida, que obriga a cuidar das gerações mais velhas durante muito mais anos que no passado? Como podem sobreviver as famílias-sanduíche, obrigadas a cuidar simultaneamente dos idosos dependentes da geração anterior e dos jovens desempregados da geração seguinte? Os novos modelos de família (famílias reconstituídas, monoparentais, casais homossexuais com filhos) não destroem o conceito de família como o conhecemos?

Citações

"Há uma nostalgia ocidental, o sentimento de perda de uma idade de ouro, idílica, onde a família parecia ser estável e coesa, uma família que fazia a transmissão de valores. Mas o que acontece é que esta família idílica nunca existiu. Há dois séculos, a família rural, organizada em torno da terra, tinha uma mortalidade infantil enorme e uma taxa de mortalidade feminina enorme. A família vivia numa permanente instabilidade. 'A morte estava no centro da vida, como o cemitério no centro da aldeia', diz um autor. Hoje não associamos a ideia de morte a um bebé ou a uma mulher jovem, mas nessa altura as mulheres jovens e os bebés morriam imenso. As várias gerações não coexistiam no tempo. Hoje temos famílias de quatro gerações, por vezes na mesma casa." (ANA)

"A família-sanduíche está em fogo cruzado, mas quem está mais sobrecarregado nas famílias são as mulheres, as cuidadoras." (ANA)

"Os filhos têm um papel de liderança na família, nomeadamente devido às TIC, e influenciam a dinâmica familiar." (ANA)

"Não consigo compreender o desconforto das pessoas em relação ao casamento de pessoas do mesmo sexo, pois esta alteração acentua a importância do casamento." (TB)

"Em Portugal fazem-se leis para dar a ideia de que se resolvem os problemas." (TB)

"Hoje em dia, em todas as classes sociais, é pacífico que duas pessoas vivam juntas e tenham filhos sem serem casadas." (TB)

"As famílias estão em crise porque estão em mudança. Ainda vejo a família como uma âncora, um porto de abrigo, um sentimento de

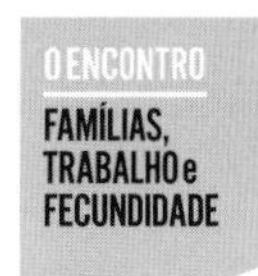

pertença, a ligação intergeracional. Temos é menos filhos e os filhos têm um mundo que é cada vez menos o mundo da família." (JGO)

Conclusão

A ideia de que a família está em crise não só não colheu adeptos no painel como foi refutada com veemência. O consenso é que a família está a mudar, como a sociedade à sua volta. "É verdade que as famílias portuguesas estão a travessar uma crise dura, mas ela tem a ver com a crise do país, com a crise da Europa, com a crise do endividamento e com a perspectiva de empobrecimento a curto prazo. Quando perguntamos se a família está em crise a pergunta fala de nós próprios, dos perguntadores. Podíamos fazer a mesma pergunta sobre a escola, a adolescência." (ANA)

É assim de mudança que falamos quando falamos de crise e ninguém nega que a família e o conceito de família mudaram muito nos últimos 20 anos. Há muitos mais divórcios, muitos mais filhos fora do casamento, muitas mais mães solteiras, muitas mais pessoas a viver sós. Ainda assim, o casamento é o modelo de união que muitos casais GLBT lutaram para poder adoptar, o que demonstra a sua vitalidade e evidencia que as notícias da sua morte foram algo exageradas. O que não significa que não exista uma sensação de angústia perante a mudança, que tem que ver com as mudanças abruptas sofridas pela família.

Uma dessas mudanças é o aparecimento da "família-sanduíche", com casais em plena actividade profissional obrigados a cuidar dos seus pais, que beneficiam de uma maior longevidade mas precisam do seu apoio, e dos filhos maiores mas que não encontram emprego e que abandonam a casa materna cada vez mais tarde.

A situação das famílias-sanduíche representa um risco particular para as mulheres, as tradicionais cuidadoras, apanhadas entre uma actividade profissional e os cuidados aos pais e aos filhos, potenciais vítimas de um mercado de trabalho onde o desemprego aumenta, e que, em virtude de todas estas pressões, poderão perder autonomia, rendimentos próprios e o estatuto de relativa igualdade que conquistaram nas últimas gerações.

Também se verificou uma alteração das relações de poder pais-filhos, com os filhos menores a abandonarem o papel discreto e submisso do passado, alterando a dinâmica familiar com a multiplicidade das suas ligações ao exterior e um papel de inesperada autonomia e até liderança de certos aspectos da dinâmica familiar, frequentemente ligado ao seu domínio das tecnologias de informação e comunicação.

Temos menos filhos porque estamos a empobrecer ou porque somos mais egoístas?

Os problemas

Qual é a verdadeira razão para termos hoje menos filhos que no passado? É principalmente uma questão económica, de escassez de rendimentos das famílias, ou é por hedonismo que recusamos a responsabilidade de ter filhos? E, seja qual for a razão, a sociedade pode fazer alguma coisa para alterar essas causas e promover a natalidade? O que pode ser feito? E será que precisamos mesmo de ter mais filhos?

Citações

"Diz-se que um filho custa dez mil euros por ano, mas há quem tenha filhos e não tenha esse rendimento." (PTP)

"A política dos contratos a prazo é muito prejudicial à fecundidade. Há muitas mulheres que sabem que o contrato a prazo não é renovado se tiverem filhos." (PTP)

"Temos uma sociedade que não tem dado nenhum apoio à fecundidade. No programa de austeridade as famílias não são consideradas. Ninguém se preocupa se as pessoas têm uma família a cargo ou não." (PTP)

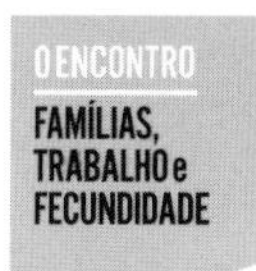

"Temos de estabilizar a população mas não temos de ser dez milhões. Podemos ser oito milhões e ser muito felizes." (PTP)

"Temos 30 por cento de desemprego entre os jovens. Será que precisamos mesmo de mais jovens?" (PTP)

"As condições económicas (e não apenas financeiras) têm de existir não só quando a mulher tem 45 anos mas também quando a mulher tem 25." (PTP)

"Dizer que a descida da taxa de natalidade é devida ao egoísmo das mulheres é insultuoso para as mulheres. As mulheres têm muitas outras maneiras de se realizar." (AQ)

"Se a população do planeta fosse toda vegetariana e comesse três kcal por dia, o planeta poderia suportar sete vezes a população actual. Mas para produzir uma kcal de carne são precisos 10 a 20 kcal de cereais. Se calhar só podemos suportar uma população que é $^{2}/_{3}$ ou metade da actual." (AQ)

"A alteração da distribuição de idades vai ter grandes consequências. Mas há dezenas de países onde isso sucedeu e que continuaram a ser países bem-sucedidos. Mas vai ter de haver mudanças. Devíamos focar-nos mais na qualidade e no equilíbrio sustentável e menos no crescimento." (AQ)

"Não ter filhos não acontece apenas por razões económicas. Pode ser devido à falta de uma relação estável." (IJ)

"Os jovens de 10, 20 e 30 anos de que precisamos podem vir da imigração." (AQ)

"Gostaria de ter uma sociedade que não fizesse pressão para as pessoas terem ou não terem filhos. Não gosto da mensagem de que os casais não estão a cumprir o seu dever. É uma mensagem horrorosa dizer às mulheres para cumprirem o seu dever e terem filhos." (AQ)

Conclusão

É fácil estabelecer uma relação entre o egoísmo, de que nos dizem que a sociedade moderna padece, e a decisão de não ter filhos. Mas é provavelmente errado fazê-lo. É que, se há quem decida não ter filhos para poder viver no presente de forma mais desafogada e sem responsabilidades, também pode haver quem tenha filhos para garantir que alguém cuidará de si na velhice. Do que não há dúvidas é que poucos factores na sociedade actual incentivam as pessoas a ter filhos.

Claro que as pessoas ainda têm filhos, mas é a redução do número de filhos por casal que preocupa investigadores e políticos. Por que se têm menos filhos? Por egoísmo? É provável que não. "Por vezes temos menos filhos por preocupação com o bem-estar dos filhos que temos. O segundo filho que não temos, não o temos para não reduzir a qualidade de vida e a qualidade da educação do primeiro que já tivemos." (PTP)

Além de que a ausência do segundo filho pode ter causas biológicas, devido ao adiamento imposto pela espera de condições de estabilidade profissional ou financeira. E a redução dos apoios às famílias tem certamente um grande impacto. Uma questão fundamental é que as medidas de apoio à natalidade têm de ser postas em prática de forma a agir quando as mulheres são ainda jovens e não quando se encontram no final do seu período reprodutivo.

Um ponto sobre o qual há consenso é a recusa do discurso culpabilizador das mulheres, um subtexto frequente no discurso natalista, como se fossem apenas as mulheres a ter filhos.

Quanto à necessidade de promoção da natalidade, devemos lembrar-nos de incluir nas contas a população imigrante, de onde pode vir uma parte importante da renovação demográfica.

Mas a própria necessidade de aumentar a taxa de natalidade foi objecto de discussão no debate. Não poderemos viver de forma confortável mesmo com uma população mais envelhecida e mais reduzida? Será que precisamos mesmo de mais jovens quando temos 30 por cento de desemprego jovem?

O TRABALHO É COMPATÍVEL COM A PATERNIDADE OU MATERNIDADE?

Anália Torres
Professora do Instituto Superior de Ciências Sociais
e Políticas da Universidade Técnica de Lisboa

Correspondendo ao desafio que me foi levantado, comecei por questionar os tópicos sugeridos. Assim, à questão *Ser boa mãe* é impeditivo de ser boa profissional? contrapus a questão *Ser homem* é impeditivo de ser bom pai?, e à questão *Os filhos implicam com a liberdade e sucesso profissional?* contrapus *Um homem com filhos tem menos liberdade e sucesso profissional?*

Não se trata de ser do *contra*. A questão é que só colocando estas questões no masculino – quando no dia-a-dia elas se formulam de forma estereotipada sempre no feminino – se percebe que algo de estranho se passa. Estas formulações associadas apenas às mulheres têm subjacente uma visão que "naturaliza" a ideia de um campo profissional para os homens, descontaminado da família e problematiza, em contraponto, um lugar "profissional" no feminino, lugar sempre "contaminado" pelas responsabilidades familiares. Como se, para maioria, os filhos fossem só das mulheres e não dos homens, e estes fossem ou devessem ser trabalhadores sem família. Assim, é fundamental identificar os dois sexos nesta relação trabalho/família e mostrar que o género implica, também no campo laboral, lugares assimétricos que podem traduzir-se em penalizações diferenciadas para homens e mulheres, pais e mães. É o que vários resultados de investigações revelam. Destacarei apenas alguns daqueles que mais me surpreenderam e que tendem a contrariar estereótipos.

- As mulheres valorizam tanto o trabalho profissional como os homens. Como factor de identidade social, ele é tão importante para elas como para eles. As diferenças entre homens e mulheres, quer na valorização da família, quer do trabalho são mínimas ou inexistentes É assim em toda a Europa, e em Portugal ainda mais quando nos comparamos com os outros países do Sul. Há efeitos nas diferentes classes sociais do nosso passado recente (emigração, guerra colonial). Assim, enquanto aspiração, o trabalho, a paternidade e a maternidade são compatíveis. Mas na realidade...
- As mulheres que trabalham profissionalmente assumem também a maioria das tarefas domésticas e dos cuidados com os filhos em Portugal e em toda a Europa (com diferenças entre países e assimetrias maiores no sul). Embora os homens façam mais vezes horas extraordinárias, a diferença de tempo ocupado com trabalho pago e não pago continua a ser desfavorável para as mulheres. Porquê? Expectativas diferenciadas quanto ao género (de vários lados: patrões, colegas, família) – "medos" femininos e "medos" masculinos.
- Não é o facto de as mulheres trabalharem profissionalmente que explica a descida da fertilidade na Europa. Embora não se esteja na reposição das gerações, nos últimos anos a fertilidade aumentou em muitos países europeus. Factores que podem explicar esta subida: políticas de família e de igualdade de género, dimensões históricas e culturais (caso dos escandinavos, por um lado; da Grã-Bretanha e da Holanda, por outro; diferenças entre a França e a Alemanha; os países do Sul e os países de Leste, por outro ainda). Portugal está em contra ciclo.

AS FAMÍLIAS ESTÃO EM CRISE?

... PARA A PERGUNTA, DEI DUAS RESPOSTAS

Ana Nunes Almeida
Professora do Instituto de Ciências Sociais da Universidade de Lisboa

A primeira. *Se nos situarmos*, a quente, no *tempo da curtíssima duração*, as famílias portuguesas estão hoje a viver uma crise dramática, a do país: desemprego, corte drástico de salários, precariedade laboral, endividamento e empobrecimento afectam brutalmente os seus quotidianos.

A segunda, partindo dum outro patamar, o da *ciência*, que prefere lidar com o tempo silencioso e discreto da média e longa duração. Confessei que a pergunta me suscita *irritação*. Porque revela ignorância – sobre o presente e, sobretudo, sobre o passado. E toma como pressuposto a existência de um modelo único de família. Típica de uma narrativa de senso comum, a pergunta tem uma vantagem: mais do que apontar para um objecto, fala de nós próprios, os perguntadores. E põe a nu um *sentimento nostálgico* face ao presente, representado como "perda" face a um passado onde a família seria um grupo virtuoso, estável, coeso, duradouro, lugar de ordem e de transmissão pacífica entre gerações.

Ora, as ciências sociais têm demonstrado de forma eloquente que *esta* família do passado nunca existiu no Ocidente. Um exemplo: o apregoado valor da *estabilidade*. Nas comunidades rurais de Antigo Regime, se havia palavra que a caracterizava era a "instabilidade" ou mesmo a "precariedade" dos laços familiares. O indicador da mortalidade é inequívoco: os seus níveis confrangedores para duas categorias – a das mulheres em idade fértil e a dos bebés – introduzem uma instabilidade trágica no quotidiano doméstico. Não é por acaso que nessas comunidades o "cemitério está no centro da aldeia – tal como a morte no centro da vida". Eram então precisos dois bebés para produzir um adulto; a morte da mãe e viver com uma madrasta numa família recomposta eram experiências extremamente frequentes. A coexistência de gerações no tempo é, assim, um traço de hoje – não desse passado.

Acresce que o tema da crise face ao presente e à mudança adquire uma projecção especial no nosso país pelo facto de ter entrado tarde, mas de forma muito veloz e *abrupta*, na *modernidade demográfica* – comparativamente a outros do Centro e Norte europeus –, onde os comportamentos se alteraram também, mas progressiva e gradualmente. Em Portugal, a mudança foi brusca, intensa e partiu de uma paisagem muito heterogénea. Assim, temos aqui, entrecruzados, tempos de histórias diferentes. A hibridez e a mudança abrupta fazem do país um caso único para a investigação. Mas não são alheias ao sentimento de angústia e perda com que o cidadão comum as interpreta.

AS FAMÍLIAS ESTÃO em CRISE?

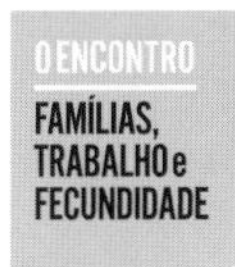

José Galamba
Presidente da Accenture Portugal

As famílias estão em crise, sim, mas não temos que atribuir um significado negativo a esta resposta. A palavra crise, de origem grega, significa mudança e é exactamente isso que assistimos hoje tal como no passado: as famílias estão em constante mudança, hoje a ritmos mais acelerados, para melhor servir os indivíduos a adaptarem-se à evolução civilizacional. O que é realmente importante é tentar perceber aonde é que essa mudança ou evolução nos levará.

Há certos aspectos centrais da família que se mantêm inalterados, como é o caso do seu papel de porto de abrigo e âncora do indivíduo. Estes aspectos oferecem um sentido de pertença ao indivíduo enquanto membro de uma família e contribuem decisivamente para a sua estabilidade, ao mesmo tempo que permitem o contacto intergeracional, que é muitas vezes mais difícil fora do contexto familiar. Há ainda um outro aspecto fundamental relacionado com a constituição da família que tem a ver com o papel educador dos progenitores ou das gerações mais velhas e que constitui a matriz educacional e cultural das gerações mais novas. Este aspecto é muito evidente em Portugal, onde vemos que as famílias têm feito uma aposta muito forte na educação dos jovens e das crianças.

Mas a família está em constante mudança por via da evolução demográfica e de outros factores civilizacionais. A evolução do papel do homem e da mulher nas sociedades contemporâneas, bem como as alterações nas políticas de família com novas leis ou regulamentação sobre casamentos, divórcio, licença paternal, etc. são factores que potenciam uma evolução mais acelerada do conceito tradicional de família para famílias de constituição muito diversa e aberta. Por exemplo, assistimos hoje a muitos enquadramentos familiares onde as crianças interagem com muitos adultos e um número reduzido de crianças no contexto familiar próximo. Este facto acaba por situar o mundo das crianças fora da família tradicional, nas escolas e noutras comunidades.

E a questão que se coloca é: o que resultará desta mudança ou evolução? Será um modelo de família que continua a proporcionar estabilidade, unidade, sentido de pertença e relação intergeracional? Ou será distinto? Estes são os desafios com que a família se defronta. Independentemente destes desafios, acredito que a família continuará a ter um papel central na consecução do grande objectivo comum que temos entre todos nós, de tornar a nossa sociedade mais solidária, com maior justiça social e também mais sustentável. De resto, em Portugal temos tido a prova disto, pois num contexto social agravado decorrente do ambiente económico recessivo, as famílias têm sido um pilar fundamental da coesão social, prestando auxílio aos seus membros mais necessitados e impedindo que a crise económica provoque estados de emergência social mais graves, ao contrário do que aconteceu noutros países, onde a família já perdeu este papel de primeira linha de auxílio.

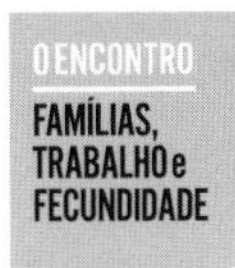

Teresa Pizarro Beleza
Professora Catedrática e Directora da Faculdade
de Direito da Universidade Nova de Lisboa

They say nostalgia is a seductive liar. É típico das situações de funda crise social e económica e política a nostalgia de uma Idade Dourada que nunca existiu.

O casamento e a família são instituições preciosas para observar esta "mania". Mudaram radicalmente nos últimos anos em vários países, incluindo Portugal, embora se tenha mantido a originalidade enquanto contrato. As cláusulas são não negociáveis, a "coisa" é comprada em "pacote", como se o casamento fosse um contrato de adesão, embora não reconhecido como tal pelo discurso jurídico dominante.

O Estado Novo legislou anacronicamente em 1966, estabelecendo no seu Código Civil uma família desigual, baseada na autoridade do *paterfamilias* (o "chefe da família") e na moralidade hipócrita e discriminatória: o marido tinha poderes sobre a mulher, a sua vida e trabalho, a sua residência, a sua mobilidade; o casamento podia ser anulado se o marido ignorasse a falta de virgindade da mulher... mas não o inverso, claro.

Algumas regras começaram a mudar ainda antes de 1974, como na política "geral". A Primavera Marcelista, superficial e de curta duração, reviu a Constituição de 1933 e alterou algumas leis importantes: desapareceu a necessidade de autorização do marido nas saídas para o estrangeiro da mulher casada; as mulheres acederam ao direito de voto para a Assembleia Nacional; a cláusula que limitava a igualdade entre os sexos no texto constitucional foi atenuada... mas, no essencial, as leis da família mantiveram-se quase intactas até 1974.

Depois da Revolução, uma das mais importantes alterações legislativas foi a revisão do Código Civil na área do Direito da Família (depois de revogadas algumas leis mais "escandalosas", como a permissão dada ao marido de matar a mulher em flagrante adultério e de abrir a sua correspondência).

O paradigma igualitário, recebido na Constituição em 1976 (que cristalizou juridicamente a democracia em Portugal) e mais tarde reforçado pela ratificação da Convenção para a Eliminação de Todas as Formas de Discriminação Contra as Mulheres (ONU, 1979), passou para as leis "ordinárias". Marido e mulher estão em situações legalmente paritárias; não há distinção admissível entre filhos nascidos dentro ou fora do casamento; a relação entre pais e filhos é de respeito e deveres mútuos e não de obediência e submissão, como antigamente.

A *subversão* final aconteceu em 2010, quando a lei portuguesa abriu a possibilidade de casamento entre duas pessoas do mesmo sexo. Conquista paradoxal da modernidade e da democracia, faz o pleno da aproximação entre a formalização jurídica e os laços de afecto. A possível estabilidade das relações humanas separa-se finalmente da heterossexualidade obrigatória dirigida à procriação e da censura criminalizadora do "Amor que não ousa dizer o seu nome", na célebre frase de Oscar Wilde.

Estranho é que os sectores mais conservadores da sociedade portuguesa não pareçam entender que esta abertura é, também, afinal, a celebração e o estímulo da instituição do casamento e da ideia de estabilidade nas relações humanas. A família é e sempre foi lugar de afecto, porto de abrigo, mas também lugar de dominação, abuso e violência. Quanto mais ela se aproximar da realidade dos afectos, menos provável é que esta prevaleça sobre aquela.

As famílias sempre foram plurais, variadas e diferentes. Que a Lei finalmente o reconheça e dê aos cidadãos e cidadãs a possibilidade de escolha é um inestimável progresso civilizacional de autonomia e de liberdade.

TEMOS MENOS FILHOS PORQUE ESTAMOS A EMPOBRECER E SOMOS MAIS EGOÍSTAS?

Alexandre Quintanilha
Físico e Presidente do Conselho de Ética para a Investigação Clínica

A minha primeira reacção é que esta afirmação/pergunta é insultuosa. E não exclusivamente para as mulheres. É insultuosa para as mulheres porque dá a entender que só existem esses dois motivos para que queiram controlar a sua fertilidade. Esquece o simples facto de que hoje em dia, felizmente, a reprodução deixou de ser a única, ou mesmo, em muitos casos, a mais importante forma de se realizarem. Todas as profissões atraem mulheres e a sexualidade há décadas que deixou de estar associada à reprodução. Conheço dezenas de mulheres que, apesar das enormes pressões sociais e familiares que as perseguem para se reproduzirem, escolheram não ter filhos ou ter um único filho, pelas mais variadas razões, tanto emocionais como racionais.

Para além disso, todos os dados recolhidos nas últimas décadas, por esse mundo fora, mostram que, mesmo em regiões pobres, quando o nível de educação das mulheres e o seu acesso a informação sobre planeamento familiar aumentam, a taxa de natalidade na generalidade dos casos diminui. Como também não será surpreendente, os mesmos dados mostram que este efeito é muito bem-vindo em países com problemas de sobrepopulação (que são muitos) e infelizmente é independente do nível de educação dos seres humanos.

Desperdiçar óvulos (e/ou espermatozóides) pode continuar a ser "pecado" para alguns, mas há muito tempo que deixou de determinar as escolhas reprodutivas da maioria dos que vivem em países livres e democráticos. Ter ou não ter filhos é sempre uma decisão difícil e a última coisa que uma mulher necessita é sentir qualquer pressão externa nesse sentido.

Em segundo lugar, considero verdadeiramente egoísta, isso sim, estarmos a exercer pressão sobre as mulheres portuguesas para que tenham mais filhos de modo a que as nossas pensões de reforma possam ser garantidas! Já Kant afirmava, sabiamente, que do ponto de vista ético, os humanos deveriam ser tratados como um fim em si e não somente como um meio.

Finalmente, num planeta com recursos limitados e em que um *marketing* impiedoso e continuado estimula o consumo, muitos são os que acham que já ultrapassámos o limite da sustentabilidade. Se todos os habitantes do planeta viessem a consumir da mesma forma que os europeus e os norte-americanos, estou certo que os recursos existentes se esgotariam rapidamente. Em muitas partes do globo, o *stress* ambiental já atingiu valores muito preocupantes. E o impacto negativo sobre a biodiversidade está sobejamente demonstrado. No entanto, apesar do aumento anual da população mundial continuar a ser superior a 50 milhões, este número tem vindo a diminuir desde o fim da década de 80 do século passado. Estamos no bom caminho e só espero que não seja tarde demais.

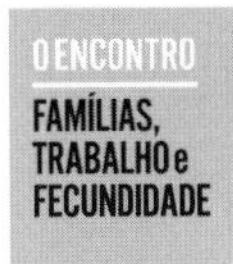

Isabel Jonet
Presidente do Banco Alimentar Contra a Fome

Olhando para trás, para olhar para a frente, retomo:

- A mudança ocorrida no estatuto das mulheres – emprego, autonomia e não dependência dos maridos, sou dona do meu corpo.
- A diminuição da religiosidade.
- A falta de referências colectivas claras que levou ao individualismo.
- A diminuição do espaço físico das casas e dos apoios familiares.
- Um filho custa caro, dois mais; não há proporcionalidade de redução de custo. A ideia de que "um filho traz sempre um pãozinho debaixo do braço" esbateu-se.

Na geração seguinte à minha, hoje em idade de procriar, regista-se uma alteração das prioridades: os filhos são algo mais na vida, no meio de milhares de outras coisas, e não a vocação natural do casamento e o culminar de uma relação de amor. Acresce uma vontade firme de viver de forma descomprometida até mais tarde. O mundo mudou: nada é para sempre e existe uma solicitação de consumo que leva a esta forma de viver. E há menos esperança.

Assim, parece-me que a quebra da natalidade é irreversível nas presentes circunstâncias e não creio que a tendência se altere significativamente no horizonte temporal de que estamos a falar, isto é, num prazo de 20 anos. As condições económicas vão continuar a agravar-se e a necessidade de ter um emprego e de o manter vai tornar-se ainda mais incontornável; em suma, a decisão de ter um filho vai tornar-se cada vez mais constrangida, seja ela em que âmbito for (família tradicional ou não), naquilo que necessariamente não pode deixar de traduzir-se em menor número de nascimentos. Nesse sentido, diria que a questão é tanto económica como cultural e tenderá a ser transversal, ou seja, em termos médios atingirá sectores da população ricos e pobres, cultos ou incultos. Embora concorde que o egoísmo dominante, o império do consumo, etc. desempenham certamente um papel no mesmo sentido. Isto não é específico de Portugal, embora no nosso país essa tendência se vá sentir de forma ainda mais acentuada. Do mesmo modo, não acredito hoje nos efeitos milagrosos de políticas públicas activas de promoção da natalidade, ao contrário do que se verificou em alguns países na década de 1980. Mas acho que por força das circunstâncias as coisas vão começar a mudar num prazo mais alargado do que aquele de que estamos a falar. Tenho para mim que a única forma de podermos enfrentar a nova realidade passa por sermos capazes de regressar ao essencial. Criar um contexto que permita uma nova cultura em termos de sociedade. Entretanto, até lá, não prevejo que a tendência se altere radicalmente e desconfio de políticas activas dirigidas para o alcançar.

TEMOS MENOS FILHOS PORQUE ESTAMOS a EMPOBRECER e SOMOS MAIS EGOÍSTAS?

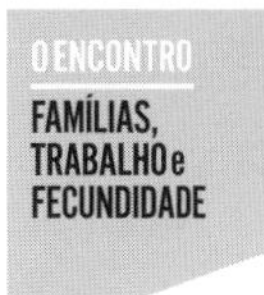

QUANTOS IREMOS SER EM 2030 E 2050? AS MINHAS PREOCUPAÇÕES FACE AO FUTURO DEMOGRÁFICO DE PORTUGAL

Pedro Telhado Pereira
Economista · Professor Catedrático da Universidade da Madeira

No documento "Cenários Demográficos 2030" de Maria Filomena Mendes e Maria João Valente Rosa são apresentados três cenários, sendo que no cenário 0 a fecundidade se mantém e nos outros cenários aumenta. No entanto, existe um conjunto de circunstâncias que a Economia da População tem apontado como causadoras de uma diminuição de fecundidade, as quais fazem parte das preocupações que levei à discussão no CCB durante o Encontro promovido pela Fundação Francisco Manuel dos Santos. São elas:

- O aumento de escolaridade das mulheres. Portugal apresenta um aumento grande e positivo da escolaridade feminina, aumento esse que não tem paralelo na população masculina. O aumento da escolaridade feminina leva muitas mulheres a adiarem a idade com que pensam ter o primeiro filho.
- A precaridade do emprego (contratos a prazo). Os que encontram emprego não conseguem empregos que lhes garantam a estabilidade, pois a maioria dos contratos são a prazo. Perante a precaridade do trabalho, as jovens decidem adiar o primeiro parto.
- A entrada mais tardia no mundo do trabalho (desemprego jovem). Terminada a escolaridade, os jovens encontram uma grande dificuldade em obterem o primeiro emprego (as taxas de desemprego entre os jovens situam-se acima dos 30 por cento). Sem emprego e com poucas perspetivas de o encontrarem, os jovens vão adiar o casamento e a concretização da sua fertilidade.
- A incerteza sobre o futuro, o que leva à emigração de muitos jovens que encontram empregos estáveis no estrangeiro e que têm os seus

filhos nos países de acolhimento, os quais só dificilmente voltarão a Portugal quando chegarem à idade ativa.

- A dificuldade em se tornar independente dos pais. As dificuldades económicas associadas à incerteza fazem com que os jovens adiem para cada vez mais tarde a saída da casa dos seus progenitores, os quais continuam a garantir a subsistência dos filhos adultos.
- A não existência de um discurso oficial pró-família. O Governo e os partidos políticos não apresentam um discurso pró-família, apresentando pelo contrário políticas de contenção de custos que penalizam muito as famílias com filhos. O discurso ainda vai mais longe ao fazer prever que, no futuro, as famílias ainda irão ter menos apoio do Estado.

Perante todos estes fatos, parece-me que todas as previsões demográficas apresentadas são otimistas e a situação já bastante preocupante de todas elas pode na realidade ser catastrófica, o que deve merecer a reflexão de todos nós.

TESTEMUNHO DA MODERADORA

Maria Flor Pedroso
Jornalista

O primeiro desafio que me coube como moderadora dos "Encontros Inesperados sobre Família, Trabalho e Fecundidade" foi juntar o engenheiro informático Marco Costa, director executivo da Critical Software, a Catedrática de Sociologia Anália Torres e a engenheira química que dirige o Espírito Santo Saúde, Isabel Vaz.

"O trabalho é compatível com a paternidade/maternidade?" foi o mote do debate que, de certa forma, fez espantar a assistência, uma vez que os dois engenheiros lideravam empresas-modelo nas quais é valorizada a mulher/homem que tem filhos, onde nunca uma grávida perdeu o emprego ou foi prejudicada na sua carreira pelo facto de ser mãe. Mais: no caso da Critical, quando é necessário deslocalizar um quadro seu, a prioridade é arranjar trabalho para o cônjuge e escola para os filhos.

Da assistência chegaram vários relatos que contrastavam com a realidade descrita quer por Marco Costa, quer por Isabel Vaz.

Costa defendeu que a relação trabalho/família é algo que compete também às empresas.

Isabel Vaz definiu a felicidade dos pais como condição para criar filhos felizes, porque ter filhos é a prova máxima de que não se é egoísta. Para alcançar essa felicidade é necessário compatibilizar a mobilidade no trabalho com a opção da família.

Anália Torres referiu alguns estudos para sustentar que, em relação ao trabalho, a diferença entre homens e mulheres é nula, uma vez que a família é a coisa mais importante para pais e mães. Tal como as mulheres, também os homens querem ter filhos. Portugal está, neste momento, em contraciclo em relação à Europa no que toca à fecundidade.

"As famílias estão em crise?" foi o segundo Encontro Inesperado com o engenheiro mecânico José Galamba de Oliveira da Accenture, a Professora Teresa Beleza, jurista, e a Professora Ana Nunes de Almeida, socióloga.

Ana Nunes de Almeida respondeu directamente à pergunta, considerando que ela "irrita" os sociólogos por assentar num conceito errado de família que tem implícita a ideia de que esta era outrora um espaço intergeracional no qual coabitavam e conviviam avós, filhos e netos. Isso nunca foi verdade, contesta, nem no Antigo Regime, pela simples razão de que a esperança de vida não o permitiria. Hoje entende que vivemos no espaço de uma família intergeracional por razões de sobrevivência económica, como consequência do agudizar da crise social.

A jurista Teresa Beleza introduziu uma outra visão de família através do que considerou ser a alteração dos fundamentos do casamento entendido como um contrato.

José Galamba de Oliveira defendeu que as famílias se demitiram da responsabilidade de educar.

Da assistência chegaram vários relatos de famílias com casamento, sem casamento, com uniões de facto, com filhos e enteados, e queixas de que a desregulamentação das leis do trabalho torna a família mais permeável à sua desestruturação. Até se ouviram críticas pelo facto de a nossa organização do trabalho desperdiçar a hora de almoço. Constatou-se também que, nos nossos dias, pais e avós já próximos da reforma voltaram a ter de ajudar os filhos depois de já lhes terem pagado a educação. "Parece que tudo volta ao início", disse um dos participantes.

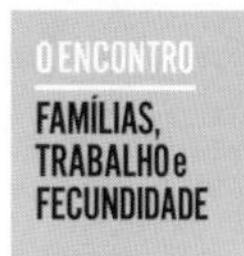

O último Encontro Inesperado foi inspirado na pergunta "Temos menos filhos porque estamos a empobrecer e somos mais egoístas?", que teve como oradores Alexandre Quintanilha, doutorado em Física, Pedro Telhado Pereira, Catedrático de Economia, e Isabel Jonet, economista e presidente do Banco Alimentar contra a Fome.

"O custo de um filho depende do dinheiro que os pais têm", afirmou Pedro Telhado Pereira. Um filho implica estabilidade emocional e laboral e muitos não concretizam o sonho de ter um segundo filho porque uma dessas condições falhou. Seria fundamental a concretização do terceiro filho em termos familiares e societais, no entanto, a sociedade não produz sinais pró-família, não tem políticas de incentivo à natalidade.

Alexandre Quintanilha inverteu a pergunta e questionou se não seria mais egoísta ter filhos com o objectivo de que eles nos sustentem no futuro. Realçou que a população mundial está a crescer mais lentamente, que as mulheres mais escolarizadas têm menos filhos e que o grau de escolaridade nos homens não é uma variável relevante para o seu número de filhos.

Isabel Jonet considerou que para quem tem menos é mais difícil ter filhos. Sugeriu que Portugal poderia resolver o crónico problema de envelhecimento da população com políticas de imigração mais consistentes, ou então apostar em políticas públicas pró-natalistas e que estão a dar os seus frutos, como tem feito a França.

Do debate, ficou claro que uma das razões mais apontadas para não se ter filhos está relacionada com a instabilidade emocional das relações afectivas.

O ENCONTRO

DESIGUALDADES: POVOAMENTO e RECURSOS

FACTOS PARA O DEBATE

Portugal é um país muito diverso. O povoamento do território é uma dessas marcas. Os últimos anos mantiveram a tendência de despovoamento do país rural a favor das áreas urbanas e do litoral. Em contraste com esta tendência antiga, registam-se novos movimentos de população. Enquanto as áreas metropolitanas de Lisboa e Porto continuam a acolher jovens em busca de um futuro diferente, há muitos citadinos que tomam a iniciativa de regressar a uma vida diferente, eventualmente mais calma e em contacto com a natureza, mas com a nova tecnologia e os acessos fáceis a esbater distâncias.

Haverá um interior diverso do que nos mostram as reportagens de rostos envelhecidos e de aldeias vazias? No futuro, a vida nas cidades será diferente? E nos campos? Que diferenças de povoamento e de utilização de recursos naturais podemos prever para o futuro?

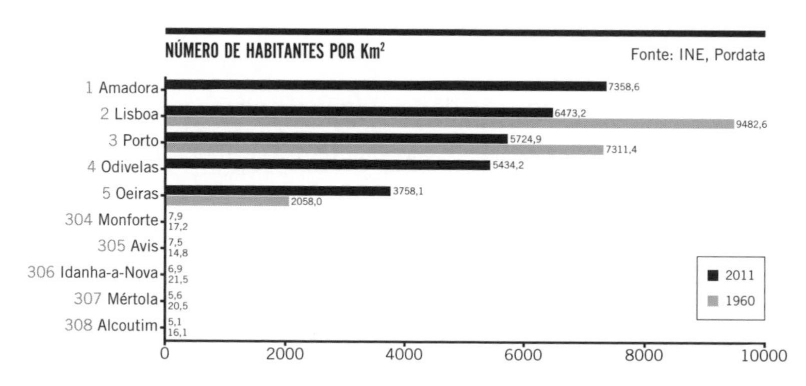

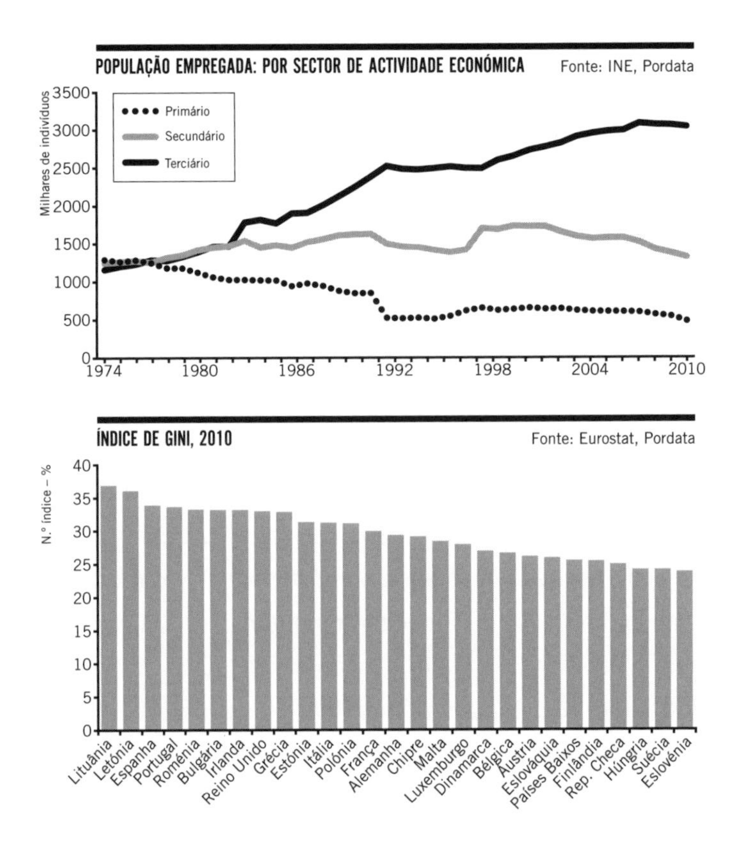

Áreas Urbanas

O crescimento da população urbana é uma tendência indelével e a vida urbana estende-se cada vez mais para fora dos limites físicos das cidades. A vida nas cidades é sempre igual? Porque se escolhe ir viver para a cidadeou para próximo dela?

- As regiões da Grande Lisboa e do Grande Porto ocupam 2,4 por cento da superfície de Portugal e representam 31,5 por cento da população residente.
- O número de cidades em Portugal é de 156, cerca de metade do número de municípios (308).
- Dos 558 ecrãs de cinema existentes em Portugal, Lisboa tem 80, Vila Nova de Gaia 31 e Oeiras 21. Todos os restantes têm menos de 20 ecrãs de cinema e 198 municípios dos 308 não têm qualquer ecrã de cinema.

- O número médio de pagamentos por habitante através das caixas Multibanco duplicou na última década. É nos municípios de Lisboa, do Porto e de Albufeira que o número de pagamentos é hoje mais alto.
- Em 2010, o número de habitantes por médico era de 145 no Grande Porto e 757 no Alentejo Litoral.

Áreas Rurais

O despovoamento do Portugal rural em favor das áreas urbanas e do litoral é uma tendência prevalecente. Será que o interior está em risco de ficar totalmente despovoado? E será que o despovoamento significa necessariamente abandono?

- O índice de envelhecimento, ou seja, o número de idosos por cada 100 jovens era, em 2011, de 179 no Alentejo e 118 na região de Lisboa.
- Em Alcoutim, Mértola e Idanha-a-Nova, o número de habitantes por km2 é inferior a sete e na Amadora, em Lisboa e no Porto o número de habitantes por km^2 é superior a cinco mil.
- Entre 1979 e 2009, o número de explorações agrícolas passou para menos de metade, de 785 000 para 305 000.
- Nos últimos trinta anos, o número de incêndios florestais aumentou dez vezes, de 2349 em 1980 para 22 026 em 2010. Em 2010, a área ardida foi de 133 000 hectares.

Recursos

As despesas de consumo das famílias representam 90 por cento no total dos seus rendimentos disponíveis. Será que o consumo implica necessariamente desperdício? E esse desperdício é prejudicial ao ambiente? Estamos a caminhar para uma maior equidade na distribuição da riqueza?

- Entre 1990 e 2010, Portugal aumentou as emissões de gases com efeito de estufa em 26 por cento. No mesmo período, a Alemanha reduziu as emissões em 26 por cento.

- A produção de lixo "doméstico" reciclável tem aumentado em Portugal: passou de 20,5 kg por habitante em 2002 para 76,2 kg em 2010. No município de Albufeira, só no ano de 2010, essa produção correspondeu a 513 kg por habitante.
- A área destinada a cultivo biológico aumentou mais de quatro vezes entre 2000 e 2010, correspondendo actualmente a 211 mil hectares.
- O Índice de Gini, que mede a desigualdade de distribuição de rendimentos, está a diminuir em Portugal, embora seja ainda mais elevado para Portugal do que em todos os países europeus, excepto Letónia e Lituânia.
- Cerca de uma em cada cinco pessoas é considerada pobre após transferências sociais.
- Mais de uma em cada três pessoas com 65 e mais anos que vivem sós é considerada pobre (35 por cento), enquanto a média da UE é de uma em cada quatro (24 por cento).
- Os 20 por cento mais ricos têm um rendimento quase seis vezes superior aos 20 por cento mais pobres. Mas, entre 1995 e 2005, houve anos em que essa diferença já foi de sete vezes.

NOTAS SOLTAS

Uma cidade define-se pelos equipamentos colectivos que possui?

Estatisticamente, uma "**cidade**" é um aglomerado populacional contínuo, com um número de eleitores superior a oito mil, possuindo pelo menos metade dos seguintes equipamentos colectivos: *a)* instalações hospitalares com serviço de permanência, *b)* farmácias, *c)* corporação de bombeiros, *d)* casa de espectáculos e centro cultural, *e)* museu e biblioteca, *f)* instalações de hotelaria, *g)* estabelecimentos de ensino preparatório e secundário, *h)* estabelecimentos de ensino pré-primário e infantários, *i)* transportes públicos, urbanos e suburbanos e *j)* parques ou jardins públicos. Para um aglomerado urbano ser considerado cidade, é necessária aprovação desse estatuto pela Assembleia da República.

A população urbana não tem de residir em cidades?

A OCDE defende uma classificação de regiões rurais, urbanas ou intermédias combinando critérios de densidade populacional, número de habitantes e distância das cidades. De acordo com esta classificação, mais de metade dos residentes de uma **"população urbana"** deverão estar à distância máxima de 45 minutos de uma cidade, pelo que não têm necessariamente de residir em cidades.

Existem indicadores de consumo dos recursos ambientais?

As estatísticas também têm medidas relativas a ambiente como por exemplo: *a)* "**água e saneamento**" (consumo e qualidade), *b)* "**ener-**

gia" (produção, venda e consumo), *c)* **"poluição atmosférica e clima"** (emissão de gases, efeito estufa, temperaturas e chuvas), *d)* "**protecção do ambiente**" (actividades e associados de ONGA – organizações não governamentais de ambiente) ou *e)* "**resíduos**" (urbanos produzidos e recolhidos).

As desigualdades de riqueza podem ser medidas?

A "**desigualdade de distribuição de rendimentos**" pode ser medida de várias formas. Entre estas está o "**Rácio S80/S20**", que corresponde à diferença entre o rendimento total auferido por 20 por cento da população com o rendimento mais elevado e o rendimento auferido por 20 por cento da população com o rendimento mais baixo. O "**Índice de Gini**" é outro indicador sobre desigualdade de distribuição de rendimentos que mede a relação entre dois grupos de rendimentos, por exemplo, os mais altos e os mais baixos: quanto mais alto for o resultado, mais desigual é a distribuição de rendimentos. Em Portugal, em 2010, o Índice de Gini foi de 33,7 por cento e o rácio S80/S20 foi de 5,6 por cento. No conjunto dos países da UE27 estes valores eram, em 2010, de 30,5 por cento e de 5,0 por cento, respectivamente.

A pobreza é medida pelas estatísticas?

O "**limiar de risco de pobreza**" corresponde a 60 por cento do rendimento nacional mediano por adulto equivalente após transferências sociais. A "**taxa de risco de pobreza**" é a proporção de indivíduos com um rendimento equivalente abaixo do limiar de risco de pobreza. Em Portugal, em 2010, o limiar de risco de pobreza era de 5207 euros anuais, a taxa de risco de pobreza era de 43,4 por cento antes de qualquer transferência social e de 17,9 por cento após transferências sociais. As "**transferências sociais**" incluem pensões de velhice (reforma) e de sobrevivência, subsídios de desemprego, subsídios à família, subsídios de doença e de invalidez, subsídios de educação, subsídios de habitação e subsídios de combate à exclusão social.

Para saber mais...

Publicações

Elísio Estanque, "A Classe Média: Ascensão e Declínio", Fundação Francisco Manuel dos Santos, 2012

Carlos Farinha Rodrigues, "Desigualdade em Portugal", Fundação Francisco Manuel dos Santos, 2011

Accenture, "Carbon Capital – Financing the low carbon economy", 2011

Eurostat, "Around 40 por cento of the EU27 population live in urban regions...", 2012

Eurostat, "Europe in figures – Eurostat yearbook 2011", 2011

Eurostat, "23 por cento of EU citizens were at risk of poverty or social exclusion in 2010", 2012

Eurostat, "Income poverty and material deprivation in European countries", 2010

Eurostat, "EU-27 environmental protection expenditure increased to 2.25 por cento of GDP in 2009", 2012

Eurostat, "Figures for the future – 20 years of sustainable development in Europe? A guidefor citizens", 2012

Lamia Kamal-Chaoui, Javier Sanchez-Reaza, "Urban Trends and Policies in OECD Countries", 2012

Nações Unidas, "Population Distribution, Urbanization, Internal Migration and Development: An International Perspective", 2011

Nações Unidas "Cities and their rural surroundings. The urban- rural interface", 2011

Nações Unidas "World Urbanization Prospects – The 2011 Revision", 2011

OCDE, "Refinement of the OECD regional typology", 2010

OCDE, "Redefining 'Urban' – A New Way to Measure Metropolitan Areas", 2012

OCDE "Environmental Outlook to 2050:The Consequences of Inaction, OECD Publishing", 2012

Bases de Dados

http://www.ine.pt

http://www.pordata.pt

http://ec.europa.eu/eurostat

http://www.oecd.org

http://www.un.org/en/databases

Links

*http://*www.apdemografia.pt

http://observatorio-das-desigualdades.cies.iscte.pt/

http://germanwatch.org/en/home

http://epp.eurostat.ec.europa.eu/statistics_explained/index.php/Regional_typologies_overview

TESTEMUNHO DO RELATOR

Tiago Pitta e Cunha
Consultor do Presidente da República para os assuntos da Ciência, Ambiente e do Mar

Relatório dos Painéis de Debate sobre População e Território

1. Introdução

Um dos quatro grandes temas do Encontro «Presente no Futuro; os portugueses em 2030» organizado pela Fundação Francisco Manuel dos Santos, nos dias 14 e 15 de Setembro, intitulou-se «Desigualdades: Povoamento e Recursos».

Feita a pergunta pelo moderador dos três painéis que debateram o tema, sobre se Portugal é um país desigual na distribuição das pessoas pelo espaço e dos recursos pelas pessoas, as respostas foram unânimes: Portugal é um país de contrastes e de desequilíbrios. Desequilíbrios no povoamento entre o litoral e o interior e entre a cidade e o campo; desequilíbrios na distribuição da renda, entre ricos e pobres. Quanto ao povoamento, basta saber-se que a Grande Lisboa e o Grande Porto ocupam 2,4 por cento do território nacional, mas que nessas regiões reside 31,5 por cento da população do país. Quanto à distribuição da riqueza salienta-se que

Portugal está na "cauda" da Europa, sendo um membro de pleno direito da liga dos países com maior desigualdade na distribuição de rendimento.

Este facto sugere ao relator um breve comentário: Portugal mudou muito nos últimos 40 anos e de acordo com as estatísticas, incluindo as do Pordata, mudou para muito melhor do que antes. A redução abrupta da taxa de mortalidade infantil é um exemplo tradicionalmente invocado para chegar a essa conclusão. Todavia, fica a sensação de que algumas coisas continuam a ser iguais, como sempre, e entre elas a desigualdade de distribuição de rendas é particularmente negativa, quer pela questão de justiça social e até moral que suscita, quer porque é um factor objectivo de constrangimento ao desenvolvimento e ao dinamismo de uma economia sustentável.

No entanto, este ponto não foi de modo algum o assunto central na discussão dos painéis que debateram o tema, não tendo mesmo sido sequer suscitado por nenhum orador, o que pode ter causado alguma estranheza.

2. Os Debates

2.1. Painel: «Vive-se melhor nas Cidades?»

Foi um painel com uma discussão extremamente interessante, dinâmica e evolutiva, o que levou mesmo alguns oradores a ajustarem ligeiramente as suas posições ao longo do debate.

Este painel terá sido pensado para contrapor a vida na Cidade à vida fora dela, no Campo, e começou com a apologia da vida na Cidade, feita por um dos oradores, progrediu para o seu contraditório, com a apologia da vida no Campo, a cargo de outro orador, e evoluiu até à desterritorialização do debate: "A Cidade não é um território físico. É uma condição humana".

À pergunta sobre se se vive melhor nas Cidades, foi referido que os fluxos populacionais são sempre no sentido campo-cidade e que em 2030, 70 por cento da população mundial vai viver em núcleos urbanos, o que em si constitui uma resposta. Se não se vivesse melhor nas cidades as pessoas não migrariam para elas.

Para um orador isso é perfeitamente natural, uma vez que a cidade é libertadora, é diversa e é estimulante. O futuro desaguará, assim, na grande urbe, transformando-se os atuais subúrbios das cidades em novas cidades autónomas. O elogio das cidades foi temperado com o desejo de que nelas se pudesse manter uma dimensão humana da vida e que não se transformem em lugares desumanizados.

Se a Cidade é cultura, educação, serviços e diversidade, o Campo, isto é, as aldeias, as vilas e até as pequenas cidades, são a segurança, a ausência de stresse e de poluição, são a vizinhança e, por isso, são o fim do anonimato das cidades. Para quem vive fora da Cidade, no Campo, há um espaço e um tempo diferentes. Há também "horizonte", que é uma dimensão que nós precisamos, sem saber que precisamos, e que buscamos nas férias e tempos livres: queremos ir para a praia ou para o campo aberto, não queremos passar férias confinados num espaço fechado.

Note-se que no debate o elogio do Campo foi feito por quem mudou da Cidade para o Campo, isto é, foi feito por um citadino que por vontade própia se transformou num "novo rural", por isso se compreende que o Campo possa representar igualmente uma libertação: a libertação da dependência física da Cidade e dos serviços que nos providência. Para esses – muito poucos em Portugal, de acordo com os oradores –, que se atrevem a trocar a Cidade pelo Campo, o Campo é confundido com o livre arbítrio e com a mobilidade. É que só é bom estar no Campo se pudermos vir à Cidade, seja através das novas autoestradas do território, seja mesmo pelas autoestradas da Internet. A coragem de quem se muda para o Campo é, de acordo com um orador, ainda singular em Portugal. É estar-se em contra-ciclo com a vida e as tendências dominantes! "Ninguém seguiu o meu exemplo", comentou esse orador.

Apesar dos partidários da Cidade e dos defensores do Campo, o debate não chegou a transformar-se numa querela sobre o tema, no género *A Cidade e as Serras* de Eça de Queiroz. Cedo no debate se concluiu que "a Cidade não é um sítio: é uma maneira de estar. É um território de relações, sem lugar e sem limites". E ainda que "devemos falar, não em Cidade, mas na condição urbana, enquanto traço de cosmopolitismo que nos caracteriza a todos hoje". Para esse orador, na lógica da desmaterialização da Cidade, não devemos chorar demasiado as pedras velhas dos cascos históricos das cidades, acrescentado mesmo que "o trauma da perda das cidades históricas ou das aldeias típicas é quase que uma neurose freudiana".

Neste painel foi feita ainda a apologia das cidades médias e pequenas, como lugares e ideias para viver: devem ter todas as vantagens da cidade grande e nenhum dos seus inconvenientes.

Do painel resultou igualmente a conclusão de que o país é já hoje (note-se que não se falou praticamente do futuro) um país urbano por inteiro e que se "vive" na Cidade em todo o território, mesmo quando estamos no Campo. "A proveniência de todos nós é hoje citadina" e "a nossa procedência cultural é a Cidade". Este aspecto, contudo, foi contestado por uma intervenção do público que, partindo de alguém que vive no Campo, afirmou: "A nossa procedência é o Campo e também há uma ruralidade no homem actual que subsiste. Viver no Campo não é fácil e é ainda muito diferente de viver na Cidade, desde logo pela dificuldade de acesso aos serviços e *maxime à cultura.*»

2.2. Painel: «A população abusa dos recursos disponíveis?»

Este painel deu azo a uma acalorada discussão sobre a energia, tendo mesmo sido dominado pela polémica do futuro das opções energéticas do país, que hoje se faz ouvir com intensidade em Portugal.

A resposta dos oradores à pergunta-chave do painel foi, aqui, igualmente unânime: "todos, sem excepção, abusamos dos recursos disponíveis".

De acordo com um orador, estamos hoje a consumir o equivalente aos recursos disponíveis de um planeta e meio, mas não há um planeta B, para nos mudarmos, quando acabarmos com este. A razão para isto, de acordo com o mesmo orador, é que "o sistema de consumo actual foi cunhado numa época em que os recursos ainda não escasseavam". Este será mesmo o pecado original do sistema capitalista de livre mercado, que não está em decadência, como alguns podem ser levados a pensar, mas em expansão para as novas economias emergentes.

Foi dito que, pobres e ricos, todos abusam. Os pobres abusam, porque a isso são obrigados, mas o que consomem é diferente daquilo que os ricos consomem. Os ricos podem consumir gás natural, mas o pobres consomem as florestas para se aquecer e para comer.

Para um orador, o abuso dos recursos disponíveis é compreensível: "Durante 50 mil anos a humanidade, mais do que pobre foi absolutamente miserável e, por isso, os abusos de hoje são uma boa notícia e são até uma desforra da condição humana!" "É isso que explica a expansão do modelo capitalista para a China e para a Índia e que com ele se expandam igualmente a publicidade, as marcas e as embalagens."Daqui não se pode esperar nada de muito positivo em termos de sustentabilidade. Que futuro podemos, pois, esperar? A conclusão genérica é que há hoje dois modelos simultâneos em evolução: um baseado numa economia predadora do vale tudo e outro à procura de uma economia mais sustentável. Vamos ter de saber escolher entre eles.

Para outro orador, mais optimista, essa escolha vai ser uma escolha natural e muito provavelmente uma escolha acertada, dado que o factor-chave aqui é o factor informação. Com acesso pleno à informação – que é um processo que está em curso na maioria das regiões do planeta – vamos compreender melhor, a nível pessoal, o desafio da sustentabilidade, vamos interiorizar uma nova cultura de responsabilidade e vamos mudar para melhor, vamos parar de esbanjar e vamos começar a reciclar.

Para esse orador, o que é fundamental é que no processo evolutivo que atravessamos se evite começar a diabolizar uns e a glorificar os outros: "Os bons são os que pensam no planeta e os maus os que não pensam!". Ou seja, o maniqueísmo, como em tudo, também não é uma boa solução nesta questão, que é a questão crítica do desenvolvimento humano.

Ironicamente, não foi preciso esperar que tais sábias palavras de rejeição da intolerância e do sectarismo deixassem de ecoar na sala, para que o painel se envolvesse, com o público, numa acalorada discussão. Na mesa, o mais controverso dos recursos: a energia.

Para um orador, quando falamos de energia, mais do que abuso, o que há é verdadeiro esbanjamento. Os recursos energéticos, principalmente os de origem natural, estão a chegar a um ponto crítico, mas não há uma solução fácil para o assunto: quem poderá proibir os mil milhões de cidadãos da Índia de passarem a deslocar-se de carro, como nós fazemos? A conclusão é que a questão da gestão dos recursos deve passar a ser feita através da gestão da população. Só gerindo a população podemos gerir os recursos.

No contexto nacional, o dossier da energia tem sido muito mal gerido em Portugal, de acordo com um dos oradores. "Decidiu-se apostar nas energias renováveis, como se o país de um casino se tratasse. Mas a energia não pode ser um jogo em que as fichas são pagas pelos contribuintes e pelos clientes das empresas de energia." Para esse orador, o que faz falta é fazer uma avaliação séria de todas as opções em aberto, incluindo a opção nuclear. A proposta deixada em cima da mesa é uma ida à Finlândia, para se ver os custos reais da energia nuclear, que no entendimento desse orador "é a forma de energia mais barata e mais segura que existe".

Para outro orador, todavia, devemos sim é ir ao Japão que, sendo um país altamente dependente de energia nuclear, acaba de decidir descontinuar a sua produção e de abolir essa forma de energia até 2040.

Finalmente, para um terceiro orador, os argumentos são de outra ordem. Trata-se de uma questão muito complexa e que, por isso, requer toda a ponderação possível. Não interessa olhar apenas para o presente, mas sim "escutar a voz do futuro". Devemos, à semelhança do rito praticado por uma tribo de indígenas norte-americanos, "ouvir a voz da sétima geração, que há-de vir, como que recolhendo os votos, não dos que já morreram – o que, aliás, já é feito nalguns países – mas sim os votos dos que ainda não nasceram". Para o mesmo orador, a energia nuclear pode ser comparada a quem prefere viajar de carro em vez de avião, apesar de se saber que é mais perigoso viajar de carro. "Pode ser verdade que, estatisticamente, há maior risco de viajar de carro do que de avião, mas muitas pessoas têm medo de andar de avião e preferem o carro porque se sentem mais em controlo da situação!"

2.3. Painel: «O Interior está em risco de desaparecer?»

Para os oradores deste painel, o «interior» já desapareceu, no sentido em que o conceito hoje deixou de ter o mesmo conteúdo que tinha quando foi inventado nos anos de 1950, como sinónimo de país atrasado e rural, contraposto ao país moderno das cidades do litoral. Interior significava, portanto, mais do que um conceito geográfico, um conceito de desenvolvimento (ou de falta dele).

Com apenas 200 km de profundidade e com boas ligações viárias a todas as partes do país, não faz sentido, hoje em dia, falar verdadeiramente de «interior». O «interior» permanece mais nas nossas cabeças e nas nossas atitudes. É certo que continua a haver bolsas de ruralidade no país, mas já não faz sentido pensar num país dicotómico, dividido entre litoral e interior, como antes se terá feito. Assim, «interior» hoje significa áreas de baixa intensidade. De baixa intensidade de população, de economia, de vida institucional, e de *networking* entre *stakeholders*.

No fundo, encontramos de novo aqui, na discussão deste painel, um reflexo de que hoje em Portugal tudo é urbano, pelo menos, enquanto condição mental, tal como, aliás, foi defendido no primeiro painel. Nas palavras de um orador, "até o agricultor passou de camponês a empresário agrícola!". Sendo o «interior» uma medida da baixa densidade, como referido, então, mesmo nas cidades, e principalmente nas grandes cidades, deparamo-nos com «interiores» nas áreas de baixa densidade económica e populacional, por exemplo, dos cascos históricos de Lisboa e Porto.

Para um orador, nestas circunstâncias, o grande desafio para Portugal é evitar transformar-se todo ele numa área de baixa intensidade, no quadro das grandes redes internacionais dominantes do desenvolvimento planetário. Para evitar este destino precisamos de ser colectivamente mais inteligentes. Como é possível que não se saiba hoje quem são os proprietários de 20 por cento da superfície do país, interrogou-se, a este propósito, um orador, aludindo à indefinição cadastral de grande parte da área florestal do país.

Entre as medidas a tomar contam-se: acabar com algumas áreas de baixa densidade, nomeadamente no interior das cidades, e reconhecer que outras não poderão ser eliminadas, antes se devendo adaptar os serviços à sua realidade, incluindo os serviços de saúde ambulatórios e de fornecimento de mais tele-serviços, distribuindo e poupando mais os recursos escassos disponíveis e evitando a sua duplicação uniforme em áreas de alta e de baixa densidade.

Duas notas finais: para um orador, o PIB do país é um PIB urbano, gerado nas cidades e é necessário de uma vez por todas colocar uma pedra sobre a mitologia da «boa ruralidade», porque ela já não existe e nunca existiu. Esta asserção foi criticada por uma intervenção do público, que contando a sua experiência pessoal referiu que existe ruralidade em Portugal e que os custos da ruralidade são pesados.

Outra intervenção do público foi no sentido de que em Portugal há muitos estudos, mas que falta acção, tendo esta afirmação sido contestada pelos oradores do painel, os quais referiram, pelo contrário, que faltam estudos, que falta conhecimento do país e que faltam estratégias. Para eles, informação não significa «conhecimento» e o repentismo da acção, que não é suficientemente pensada, é sempre mau conselheiro, como nos demonstra hoje a construção de auto-estradas inúteis e de estádios de futebol no país.

Conclusão dos oradores do painel: é preciso pensar mais e pensar melhor. Acima de tudo, é preciso pensar colectivamente de forma mais inteligente, para conseguir fazer face aos grandes desafios que hoje se erguem defronte do país e da sociedade portuguesa.

VIVE-SE MELHOR NAS CIDADES?

Álvaro Domingues
Investigador no Centro de Estudos de Arquitectura
e Urbanismo da Universidade do Porto

A passagem da cidade para o urbano arrastou uma metamorfose profunda da cidade: de centrípeta passou a centrífuga; de limitada e contida, passou a uma coisa desconfinada; de coesa e contínua, passou a difusa e fragmentada; de espaço legível e estruturado, passou a ser um campo de forças organizado por novas mobilidades e espacialidades; de contrária ou híbrida do "rural", passou a ser um transgénico que assimila e reprocessa elementos que antes pertenciam a um e outro; de organização estruturada pela relação a um centro, passou a sistema de vários centros; de ponto num mapa, passou a mancha, etc., etc. A densidade de aglomeração e de inter-relação já não significam necessariamente aglomeração física de edificado, emprego, população, ou infra-estrutura. A "cidade" perdeu o monopólio da infra-estrutura que hoje irriga territórios imensos onde virtualmente se pode construir uma casa, fábrica ou centro comercial. A acessibilidade, a velocidade, a conectividade e a mobilidade podem realizar-se em superfícies extensas percorridas pelo *zapping* mais ou menos intenso entre pessoas, bens e informação. Insustentável, dirão muitos, mas foi essa a geografia urbana do Silicon Valley onde se produziu o milagre tecnológico do século XX.

O que importa é como se vive a "condição urbana" nos vários lugares onde a organização social vai desempenhando as suas coreografias – dos lugares *de muitas e variegadas gentes*, como dizia Fernão Lopes, às redes de *sites* onde a geografia dos lugares se expande noutras possibilidades e oportunidades traduzidas em relações. *Acessar* é a condição fundamental da urbanidade. A condição urbana é sinónimo de intensificação social, mas não é uma caixa mágica onde a sociedade se torna mais justa. A *cidade partida* (Zuenir Ventura, 2000) é o espelho da sociedade injusta, dos novos e velhos ricos (poucos) e dos pobres (muitos).

Vive-se melhor onde e quando se encontra de que viver e onde se pode cumprir um sonho de um projecto de vida e de uma forma de estar em sociedade enquanto dispositivo de vida em conjunto e de partilha que se quer solidária. Aí será a "cidade." O resto é a selva.

© Álvaro Domingos

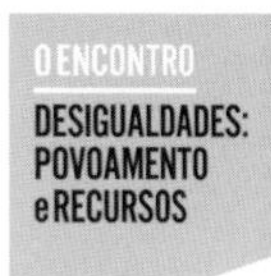

António Mega Ferreira
Escritor e Jornalista

Se a nossa espécie não é masoquista (e não está provado que não o seja, pelo menos parcialmente), a resposta à pergunta "vive-se melhor nas cidades?" terá de ser afirmativa. De acordo com a ONU, em 2008 a população mundial residente em núcleos urbanos ultrapassou os 50 por cento do total; e em 2030, que é o horizonte temporal desta conferência, esse número subirá até aos 70 por cento. Só se pode compreender este importante fenómeno de concentração demográfica pela expectativa, porventura alimentada tanto em dados concretos quanto na projecção de aspirações e desejos, de que se vive melhor nas cidades.

Concretamente, as cidades oferecem, concentrados num determinado território, todos os serviços que definem, numa certa etapa civilizacional, os essenciais da vivência individual e coletiva: os de saúde, de educação, de trabalho e de lazer. A sua principal característica é a acessibilidade, criada pela proximidade, real ou conquistada (através dos transportes), por contraposição à raridade e dispersão geográfica, características dos ambientes não urbanos.

Apesar disso, a urbanização de todo o território esbateu, nas últimas décadas e entre nós, a tradicional oposição cidade/campo. Vastas zonas do que antigamente se chamava o campo estão hoje, por força dos meios de comunicação físicos e virtuais e da melhoria das condições económicas, praticamente urbanizadas. Outras, que dantes se situavam nas periferias das cidades (as hortas, as quintas) tornaram-se espaço de expansão das cidades, sobretudo das de maior dimensão, em alguns casos dando origem a novas cidades, já não inteiramente dependentes da metrópole.

Assim sendo, como justificar que tanta gente continue a demandar as grandes cidades? Essencialmente, por razões que se prendem com a autonomia individual e com o acesso ao mercado de trabalho. E se a primeira é efetivamente mais possível através do relativo anonimato proporcionado pela grande cidade, já a segunda se afigura, numa perspetiva de curto e médio prazo, mais incerta. O principal problema com que teremos de nos confrontar nas próximas duas décadas é o da gestão destas expectativas, de forma a não frustrar gerações inteiras, sobretudo as mais jovens, que continuam a ver na grande cidade o horizonte de esperança da sua vida.

Rui Horta
Coreógrafo e bailarino

Em 2000, com 43 anos, cheguei ao Alentejo, onde não conhecia ninguém. Trazia comigo a minha família luso-alemã, as minhas qualificações e o meu percurso anterior. Antes tinha vivido, entre idas e vindas, quase 20 anos entre Nova Iorque, Frankfurt e Munique. Voltava pelos afectos, pela intuição e pela vontade de criar os meus filhos no meu país, com a minha língua e com a minha cultura.

No entanto, ao voltar, percebi claramente que a qualidade que procurava estava fora de Lisboa (que era a minha cidade, a cidade onde crescera). E que procurava eu? Fundamentalmente uma relação de escala, de proximidade, onde pudesse criar os meus filhos mas também desenvolver a minha actividade profissional. Assim, os meus filhos cresceram a trepar às árvores, a brincar na rua, em contacto com uma natureza exuberante e uma escala humana sensível, segura e coesa. Mas, para isto funcionar, teria que haver um trabalho para mim e para a minha companheira. Era gritante a falta de estruturas de apoio à criação artística em Portugal. Surgiu então a ideia de lançar o "Espaço do Tempo", hoje uma realidade sólida, na altura uma utopia gigantesca. A base deste sucesso foi a qualificação que defendia o projecto, bem como as relações de parceria que se estabeleceram, em particular com a minha autarquia. Mas também as boas acessibilidades (por auto-estrada) e, em particular, a existência da Internet. Sem estas ferramentas dificilmente teríamos singrado.

Acredito que muitas oportunidades se abrem nas comunidades mais pequenas, sobretudo nas de média dimensão (capazes de gerar razoável massa crítica), as quais, ao reterem a sua identidade, ganharam equipamentos novos, melhoraram acessibilidades e abriram-se ao exterior.

O que digo para mim, digo para muitos outros. Acredito que, por opção ou necessidade, veremos, nos próximos anos, muitos cidadãos a seguir este caminho. E não só nos serviços independentes, mas também na indústria e na agricultura, onde reformas estruturais são urgentes e o actual modelo esgotado.

O calcanhar de Aquiles de tudo isto, e onde as famílias podem eventualmente encontrar dificuldades, é na oferta educativa e nos cuidados de saúde, onde obviamente a escolha é menor e a qualidade habitualmente inferior.

Num país com muito fraca mobilidade profissional, talvez estes paradigmas sejam novos. Mas estou plenamente convicto de que, para os cidadãos habilitados com boas competências profissionais, as opções são muito tentadoras. Eu diria que a qualidade de vida estará em diferentes lugares e territórios, consoante a fase das nossas vidas: uma grande metrópole com a sua oferta educacional e cultural, apesar de insegura, representa essa qualidade para um individuo solteiro de 20 anos, enquanto esta mesma qualidade se pode traduzir para uma família na casa dos 40 numa vida em meio rural ou numa comunidade de pequena/média dimensão.

A POPULAÇÃO ABUSA DOS RECURSOS DISPONÍVEIS?

POBRES, RICOS, E OS RECURSOS DA TERRA

José Tavares
Professor na Nova School of Business & Economics

Durante os milhares de anos que temos como espécie, o que nos caracterizou não foi a pobreza mas a extrema miséria. A nossa história evolucionária é uma narrativa de luta desesperada por recursos. A nossa vida biológica foi passada a procurar – e abusar – de tudo o que era livre ou fácil e estava ao nosso alcance. Do ponto de vista do nosso registo biológico, o desenvolvimento e, paradoxalmente, os nossos abusos, são uma estranha boa notícia. Mas agora é preciso iluminar o desenvolvimento e contrariar esses abusos. Contrariar pulsões biológicas egotistas e criar instituições que não nos permitam ignorar o fruto das nossas acções sobre o ambiente.

Mudar o modelo de desenvolvimento não é fácil. Talvez nem seja útil chamá-lo de modelo, pois em parte trata-se apenas da natureza humana: a maioria deseja consumir mais, viajar, aceder a maior variedade de produtos, embalagens com cores, publicidade, deseja aglomerar-se nas cidades e trazer para a sua vida produtos de distantes partes do mundo. Cada um destes impulsos para o bem-estar individual tem consequências. Invisíveis e difíceis de quantificar. No ambiente que nos rodeia e no próprio planeta, no nosso futuro. A informação, os preços, as políticas públicas, isoladamente e em conjunto, mudam atitudes e comportamentos. As alterações que a informação pode induzir nos comportamentos são importantes, inequívocas e notáveis entre as gerações mais novas.

O que falta? Instituições, políticas públicas, o uso inteligente dos preços para percebermos o verdadeiro custo da água, do ar puro, do ambiente saudável. A palavra abuso é outra forma de dizer "faltam instituições". O abuso deriva da ignorância dos interesses dos outros, quiçá distantes e, o que é mais comum, o desprezo pelos interesses das gerações futuras. Conta-se o caso de uma tribo de índios do Canadá que, quando tinha que decidir algo determinante para o seu futuro, incumbia um dos seus membros de falar em nome da sétima geração futura. Não apenas em nome dos filhos ou netos, mas da sétima geração vindoura. Uma forma de trazer para a discussão os interesses e o voto dos "ainda não vivos". O impacto desta tribo sobre o meio ambiente era com certeza reduzido ou nulo. A marca que as sociedades desenvolvidas têm no futuro da terra e dos seus habitantes é perigosamente notória. Temos que ser capazes de criar intuições e políticas, fomentar o debate esclarecedor sobre os abusos ambientais. Sem separar o mundo em bons e maus. O maniqueísmo ambiental até pode ajudar o ambiente, mas degrada a convivialidade humana. Não nos dividamos entre bons e maus, ricos e pobres, o que quer que seja. Os comportamentos perversos para a saúde do planeta estão, infelizmente, distribuídos de forma equitativa. Em vez disso, façamos a pausa necessária para ouvir a voz da sétima geração.

A POPULAÇÃO ABUSA dos RECURSOS DISPONÍVEIS?

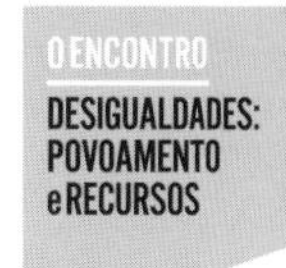

Luisa Schmidt
Investigadora no Instituto de Ciências Sociais da Universidade de Lisboa

De forma agregada, estima-se já em 1,5 o abuso geral da população humana sobre os recursos do planeta que habita. *Se* para a solução deste abuso bastasse a consciência deste facto numérico, seria tudo muito simples. Porém, o problema está na imensa complexidade das condições que o produzem: desde as desigualdades perante as responsabilidades dos abusos, à premência do tempo e às eventuais capacidades da ciência e da tecnologia para interferirem neste problema ou até trazer-lhe solução.

Com as economias "emergentes" e respectiva adopção de novos padrões de consumo, a par da explosão demográfica em termos mundiais, a pressão sobre os recursos naturais *tornou-se exponencial. Por alguma razão*, grupos económicos supranacionais têm vindo a comprar vastas extensões de território aos países pobres, visando assegurar para si recursos essenciais: água e solo arável. Segundo a FAO, já foram transaccionados cerca de 84 milhões de hectares de terras, existindo uma enorme falta de controlo sobre estes negócios.

Desde há anos, aliás, que a ONU vem lançando alertas sobre estes e outros problemas. Tal como vem trabalhando cada vez mais em torno dos valores da sustentabilidade. Trata-se da transição para um modelo de economia mais inteligente, que garanta políticas de recuperação e desenvolvimento construtivas não só do ponto de vista económico, como ambiental e social. Implica também uma redefinição do conceito de "prosperidade" em termos modernos, criando uma nova cultura de consumo mais sofisticada e com maior incorporação de conhecimento e de inovação, desdobrando novos sectores económicos com lógicas energéticas e ambientais muito mais desenvolvidas e socialmente mais justas.

Pensando na condição portuguesa, poderíamos apontar para uma importância crescente da fruição e criação de valores culturais, ambientais e societais, reduzindo a pressão sobre os recursos, apostando nas energias renováveis e reforçando a coesão social. Avivar também os valores e espaços públicos e cívicos para uma vida cultural elevada, activa e colectiva – o que envolve as indústrias culturais, a economia dos patrimónios (construído e natural) e a reabilitação urbana com eficiência energética. Ou, ainda, a criação de produtos simultaneamente excelentes e simples, revalorizando, por um lado, os contextos locais e, por outro, a incorporação de conhecimento científico.

Este, sim, continua a ser um investimento central e sem dúvida o contributo mais seguro para um futuro viável. A questão que se coloca é a de saber se a ciência e a tecnologia irão a tempo de inventar as soluções necessárias e urgentes para poupar recursos e dar resposta às alterações globais. Esperemos que sim. Mas convém levar em conta os alertas que os próprios cientistas hoje assumem com um adquirido: os ecossistemas, uma vez explorados e degradados, não são recuperáveis e, se continuarmos a destruí-los ao ritmo alucinante a que o temos feito, acabaremos como a serpente a comer a cauda. É que... não há Planeta B!

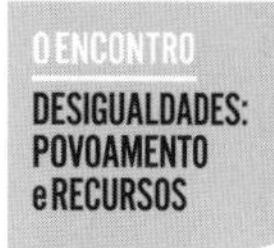

Patrick Monteiro de Barros
Empresário

1. O Esbanjamento da Energia

O consumo de energia, sob todas as formas, tem crescido de forma exponencial, o que causa problemas gravíssimos quer no abastecimento, quer na distribuição, e tem efeitos secundários problemáticos, nomeadamente as emissões de CO2 e o chamado "efeito estufa".

Esta questão tem sido abordada sobre vários ângulos, porém, o esbanjamento de energia tem ficado esquecido. Por exemplo, visitei recentemente o Quénia, país emergente sem recursos naturais que possui torres de 20 andares no seu *business center* totalmente iluminadas e com ar condicionado a funcionar de noite. O mesmo vê-se em Lisboa. Faz sentido? Não.

Talvez seja politicamente incorrecto, mas penso que a questão do consumo de energia terá que passar inevitavelmente pelo controlo de crescimento populacional.

2. A política energética de Portugal

O Dossiê da Energia é um desastre porque foi gerido por governos incompetentes que preferiram "apostar" em soluções não avaliadas em vez de estudar, de forma sistemática e coerente, todas as alternativas, inclusive a nuclear.

Portugal tem hoje a energia mais cara da Europa e acumulou um défice tarifário a pagar no futuro que é superior à última venda da tranche do Estado na EDP.

A solução passa por uma reavaliação de toda a estratégia energética, sem tabus e por gente competente pondo termo a subsídios energéticos insustentáveis e fórmulas de preço que não fazem sentido.

A "aposta" nas renováveis foi exagerada e, devido às intermitências, aumentou a dependência do gás natural como *backup*. A Argélia e a Nigéria, principais fornecedores, apresentam gravíssimos riscos de estabilidade.

3. O nuclear em Portugal

Tem sido objecto de uma enorme desinformação e tratado como um tabu.

À Espanha não lhe interessa que haja nuclear em Portugal. Basta comparar a discrepância entre o posicionamento pró-nuclear em Espanha da Endesa e do seu representante em Portugal.

Os números auditados na Finlândia e o projecto de construção coreano no Abu Dhabi demonstram, de forma inequívoca, a competitividade económica do nuclear.

4. Dependência do petróleo

Hoje, nos países ricos, existem 800 carros por cada mil habitantes. A China tem 50. Se a China, por si só, chegar aos 150 isso consumirá todo o aumento previsto da produção de crude da OPEC até 2030. Quem vai hoje dizer aos chineses que não podem ter o carro que querem!

O petróleo é e vai continuar a ser durante muitas décadas o principal combustível usado nos transportes. A solução óbvia está nos transportes públicos.

Em Singapura, pela via de taxas de circulação elevadas, foram instituídas restrições ao uso do automóvel particular semelhantes às de Londres, na City, mas, em contrapartida, há transportes públicos de altíssima qualidade, limpos, seguros e confortáveis que funcionam impecavelmente. Há que mencionar que nesse país o contrato de trabalho dos operadores dos transportes, controladores aéreos, polícias e bombeiros não permite recorrer à greve, havendo em alternativa arbitragens independentes.

Em Portugal vemos, semana sim semana não, a população a ser refém um dia da Transtejo, outro da Carris e um outro da CP. Então não se queixem!

O INTERIOR ESTÁ EM RISCO DE DESAPARECER?

Álvaro Domingues
Investigador no Centro de Estudos de Arquitectura
e Urbanismo da Universidade do Porto

Não se pode responder a esta questão sem se perceber de que é que se fala quando se fala de "interior". "Interior" não é uma geografia, é um assunto, um dispositivo narrativo onde se tecem azedumes e nostalgias acerca daquilo que somos como país e também acerca do que gostávamos de ser. O interior vai da maneira como se interioriza uma certa geografia daquilo que está a mudar em Portugal.

Depois do pico da ruralidade nos anos de 1950, o país dos navegantes e dos pobres mas honestos agricultores pôs-se a caminho mais uma vez, emigrando maciçamente. Quando regressava fazia umas casas vistosas que a elite bem-pensante abominava, porque talvez pensasse que o país rural era uma questão eminentemente estética e que os camponeses eram os jardineiros da paisagem e o campo, um lugar para passar férias. Não era.

Hoje, a desruralização – a perda tripla da economia agrícola, das culturas ditas tradicionais e habitualmente conotadas com a ruralidade mais ou menos profunda, e das suas paisagens – é intensa e deixa as suas marcas nos territórios esvaziados, rarefeitos de gente, actividades e emprego. Os poucos que ainda ficam são idosos e uma mão-cheia de poetas sonha com o regresso aos campos (elísios). Entretanto, a agricultura que funciona acompanha os tempos: a intensidade biotecnológica e a competitividade em mercados desregulados e globais. Os velhos agricultores serão agora empresários.

Entretanto, o discurso sobre o interior enreda-se nas suas névoas nostálgicas ou ressabiadas de onde não sairá nenhum Sebastião. Enquanto D. Sancho I, *o Povoador* não descobrir para o que é que serve grande parte do país que no passado era privação e mau viver, não se deve alimentar a utopia do povoamento. Com o Estado em desconstrução, serão os municípios a reinventar novas utilidades, projectos e reencantamentos para estas terras. Deve-se, primeiro que tudo, cuidar das coisas sérias do despovoamento (gente desamparada, velhos, solidão...) e não confundir o fim da ruralidade com um programa turístico de aldeias típicas e nostalgias mal resolvidas.

© Álvaro Domingos

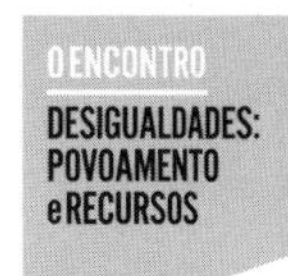

O "INTERIOR" AINDA EXISTE?

João Ferrão
Investigador no Instituto de Ciências Sociais da Universidade de Lisboa

O conceito de "interior", como ainda é hoje utilizado, dificulta um debate útil sobre o futuro dos territórios a que diz respeito. É, por isso, necessário perceber em que contexto nasceu esse conceito, clarificar as suas limitações atuais e substituí-lo por outros que permitam captar melhor o que está em causa e identificar com maior precisão o que fazer.

O conceito de "interior" continua hoje a ser identificado com as características demográficas, sociais e económicas de vastas parcelas do território nacional que, numa primeira fase, ficaram à margem do processo de modernização iniciado no final dos anos 50 e início de 60 do século passado. Nesse Portugal dual, nas palavras de Adérito Sedas Nunes, o Portugal urbano-industrial, moderno, dinâmico e em desenvolvimento correspondia ao litoral. O outro Portugal, rural, agrícola, em perda demográfica e económica e com sérios problemas de acessibilidade, coincidia com o interior. Assim se estabeleceu uma forte identificação entre um processo de marginalização relativa ocorrido num contexto histórico concreto ("interioridade"), uma localização (o "interior") e um conjunto de políticas e investimentos de natureza sobretudo física (acessibilidades, infraestruturas, equipamentos) que visavam combater a "interioridade" do "interior".

A uma utilização do conceito de "interior" desfasada do contexto que lhe deu origem juntou-se, entretanto, um outro equívoco: o que opõe, de forma dicotómica, visões voluntaristas de repovoamento do interior e profecias sobre a inevitabilidade do despovoamento generalizado do interior. Em ambos os casos, o "interior", para além de continuar a ser apresentado em oposição ao litoral, é visto como uma realidade global e homogénea.

Ora o problema do "interior" não é uma questão de localização, mas sim de condições de desenvolvimento. Por outro lado, o "interior" não corresponde a um território uniforme. Precisamos, portanto, de novos conceitos e visões inovadoras que superem as duas dicotomias referidas: litoral *vs.* interior e, em relação a este último, repovoar *vs.* abandonar.

O conceito de "áreas de baixa densidade" demográfica e relacional – que existem no "litoral" e no "interior" – introduz uma forma distinta de compreender os territórios em causa. O impacte das novas tecnologias de informação e a permeabilidade das fronteiras terrestres alteram radicalmente o quadro de referência da definição de marginalidade geográfica. E a nova geração de políticas de desenvolvimento territorial em áreas de baixa densidade, que combina a existência de equipamentos públicos multifuncionais, serviços itinerantes, melhores condições de mobilidade, acesso a tele-serviços (saúde, por exemplo) e reforço das relações urbano-rurais, permite viabilizar novos patamares de uma vida individual e coletiva digna e com oportunidades. Não em qualquer lugar. Mas, por certo, em mais lugares do que atualmente.

É PRECISO COLOCAR FUTURO NO PRESENTE

António José Teixeira
Jornalista

Projectar o futuro dos portugueses em 2030 à luz, ou à sombra, das desigualdades no povoamento e nos recursos disponíveis é um repto cujo risco maior é o adiamento e a inacção. Falta muito pouco. 2030 é já amanhã. O que não se preparar agora dificilmente se controlará neste futuro tão próximo. Isto é tão pertinente como a necessidade de clarificar conceitos e realidades de partida.

Comecemos pela cidade. O conceito parece pouco fiável, apesar de ser provavelmente o que melhor encontramos para melhor nos entendermos. Em qualquer caso, a cidade dilui-se em aglomerados urbanos. Não é necessariamente um território físico. É e será uma condição humana, uma condição urbana.

Também o conceito de interior remete para uma realidade complexa, pouco rigorosa, muito confundida com contextos históricos e económicos, identificada ainda mais com localizações geográficas. Mais do que falar de interior importa considerar as questões a que está associado. Questões como a perda demográfica, o envelhecimento, o abandono agrícola e o recuo da floresta, a periferização social ou territorial, ou ainda a crise do Estado social nos territórios em perda. Tópicos do geógrafo Álvaro Domingues, convergentes com as preocupações do seu homólogo João Ferrão. Confunde-se o Portugal dual no processo de desenvolvimento com as dicotomias litoral/interior ou repovoar/abandonar. O despovoamento não é necessariamente sinónimo de abandono. Portugal tornou-se muito mais pequeno, mais próximo, mais estreito. A malha de vias de comunicação, a facilidade dos acessos e as tecnologias de informação aproximaram populações e territórios. Podemos dizer que só é interior quem está fora das redes internacionais. E desse ponto de vista Portugal é um país urbano.

A cidade, a urbe, colocam-nos na rota da liberdade e do bem-estar. Vive-se melhor na cidade. Mesmo que haja, e há, quem viva mal, e muito mal, na cidade. As condições de desigualdade no acesso às potencialidades da cidade são e serão decerto maiores para quem vive fora da malha urbana. Seja na educação, na saúde, na justiça ou na segurança, a protecção social urbana é incomparável.

Vários vectores ajudam-nos à análise da condição urbana. Mega Ferreira identificou alguns: relações de vizinhança/promiscuidade; integração/anonimato; coabitação/coexistência; identidade urbana/perda de referências; ambiente/contaminação... Alguma conflitualidade e distinção que continuarão a alimentar o fluxo do interior rural para o litoral, mas que também impelem a movimentos inversos. Há fugas mais ou menos intermitentes da grande cidade para o campo, para uma nova ruralidade. Reacção ao desordenamento urbano ou resultado de um investimento da classe média numa segunda habitação. Emigrar da cidade para o campo pode ser um luxo.

Assistimos a uma desruralização económica, cultural e territorial. Abandonámos boa parte da agricultura. Pagaram-nos para cuidar da paisagem. Alimentamos alguns mitos da ruralidade, de uma certa harmonia que apagou o isolamento e a ignorância. Juntámos abandono ao despovoamento. Não cuidamos nem apostamos na floresta. Hoje somos chamados a olhar com outros olhos para a terra. Falamos de uma pós-ruralidade, de políticas territoriais, de parcerias, que apostem no desenvolvimento daquilo que se convencionou chamar de "áreas de baixa densidade demográfica e relacional".

O futuro da condição urbana e o do campo pós-rural devem conjugar-se com a gestão dos recursos disponíveis, da sustentabilidade (ou falta dela) da nossa sociedade. O abuso dos recursos disponíveis dá sentido à insustentabilidade em que vivemos à escala global. Abuso que pressupõe responsabilidades, urgências e condicionamentos científicos e tecnológicos diferenciados. Mas que deve fazer-nos reflectir sobre as opções que se colocam num futuro que começa no presente. A água, as alterações climáticas e a energia são questões fundamentais. Patrick Monteiro de Barros centra-se na energia e numa pergunta vital: em 2030 estará Portugal em condições de ter um abastecimento energético que satisfaça a procura nacional e que seja competitivo a nível europeu e mundial? Questão explosiva em que se cruzam vários interesses e cujo debate está longe de encerrado. Também por isso, Luísa Schmidt identifica custos sociais insuportáveis decorrentes de uma acção política negativa, ou seja, da inacção. José Tavares coloca-se também no campo político. Desde logo porque há uma relação estreita entre as promessas da democracia, as escolhas e o desenvolvimento económico, também porque há custos de corrupção, questões centrais para o bom uso dos recursos.

Desigualdades sempre em pano de fundo, escolhas por fazer, muitas dúvidas e uma certeza: a liberdade e a educação são os elementos-chave. Só assim se pode colocar futuro no presente.

O ENCONTRO
FLUXOS POPULACIONAIS e PROJECTOS de FUTURO

FACTOS PARA O DEBATE

«Sempre fomos um país de emigrantes», eis uma ideia que perdura em resultado das vagas de emigração do século XIX e sobretudo das décadas de 1960 e 1970. Por outro lado, embora a imigração para Portugal não seja um exclusivo da actualidade, ela adquiriu a partir dos anos 1990 uma expressão particularmente visível: as nacionalidades que se cruzam em território português são já muitas. O país está assim, hoje, em permanente movimento fronteiriço – pessoas que entram e outras que saem – grande parte por razões de estudo ou de trabalho.

As incertezas são grandes sobre os fluxos migratórios. O que poderão significar as novas vagas de emigração? E será que os imigrantes ainda continuam atraídos por Portugal?

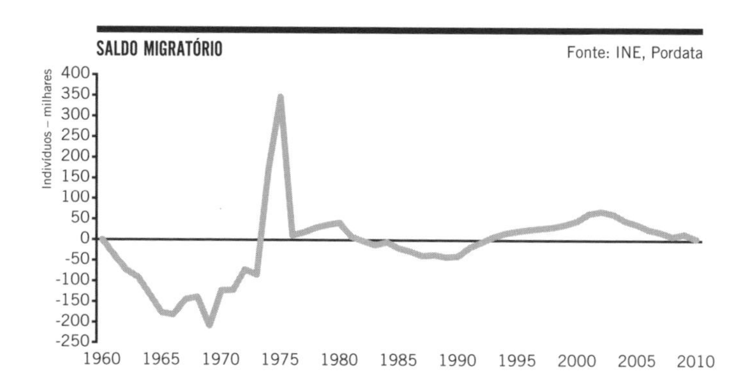

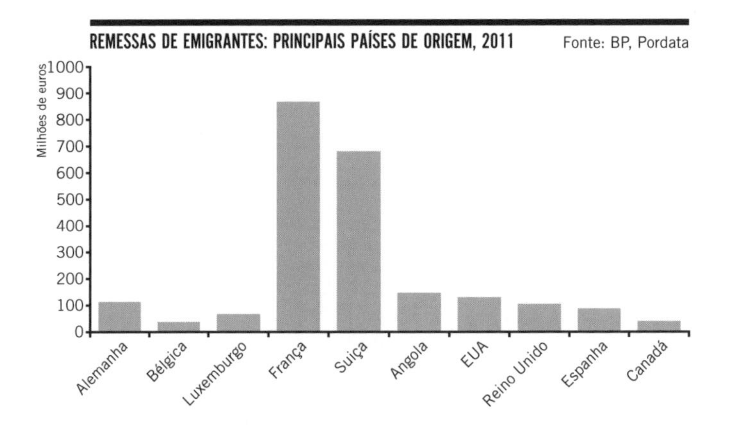

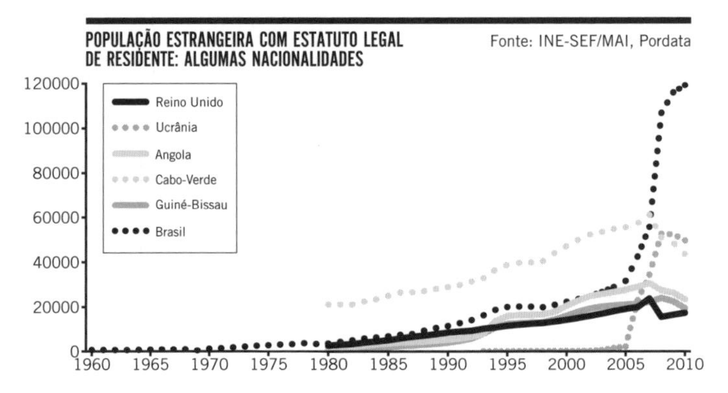

Emigração

Passaram mais de 40 anos desde a última grande vaga de emigração portuguesa. Qual o perfil do emigrante português?

- Contando com os descendentes já nascidos no estrangeiro, estima-se que sejam cinco milhões os portugueses a residir fora de Portugal.
- Segundo o recenseamento eleitoral de 2011, são cerca de 240 mil os cidadãos portugueses residentes no estrangeiro com mais de 18 anos. Eram 170 mil em 1990.
- As remessas de emigrantes equivalem, em 2011, a 1,4 por cento do PIB, tendo já representado 9 por cento do PIB no início dos anos de 1980. Ainda são, no entanto, superiores às remessas dos imigrantes para o estrangeiro.

- O número de doutoramentos realizados no estrangeiro e reconhecidos em Portugal representa 10 por cento do total de doutoramentos, sendo Espanha e Reino Unido os países mais importantes.
- A taxa de abstenção nas eleições do Parlamento Europeu de 2009 foi de 97 por cento dos portugueses residentes no estrangeiro e de 63 por cento para os residentes em Portugal.

Imigração

Na última década, o número de cidadãos estrangeiros em Portugal com estatuto legal de residente mais do que duplicou. Em 2010, eram 443 055.

Qual o perfil do cidadão estrangeiro em Portugal?

- A população estrangeira residente representa cerca de 4 por cento do total. Mas em cada sete nascidos em Portugal, um pelo menos tem um dos pais de nacionalidade estrangeira.
- Em Portugal, a proporção de estrangeiros residentes é inferior à da média da União Europeia. Os países com maior percentagem de estrangeiros residentes, em 2010, são Luxemburgo (43 por cento), Letónia (17 por cento), Chipre e Estónia (16 por cento).
- A percentagem de estrangeiros no total da população empregada em Portugal é, em 2011, de 3 por cento, menos de metade do valor observado na UE (7 por cento).
- Metade dos residentes estrangeiros em Portugal são oriundos de países de língua portuguesa.
- Cerca de 40 por cento dos estrangeiros residem na Grande Lisboa.
- As remessas de imigrantes para os seus países de origem mais do que triplicaram entre 2000 e 2011, correspondendo actualmente a 0,3 por cento do PIB português.

NOTAS SOLTAS

Um mesmo indivíduo pode ser emigrante e imigrante simultaneamente?

As **migrações internacionais** são o movimento de mudança de residência dos indivíduos de um país para outro. No país de destino o indivíduo é contado como **imigrante** e, no país de origem (de partida), como **emigrante**. Esses movimentos de saída e de entrada definem-se em função do tempo de permanência (ou, pelo menos, da intenção de permanência) no país de destino. Assim, distingue-se "**emigrante ou imigrante permanente**" de "**emigrante ou imigrante temporário**" pela fixação de residência noutro país por um período contínuo superior ou inferior a um ano. Dos emigrantes ou imigrantes temporários excluem-se as deslocações que não implicam mudança de residência, como por exemplo as que têm um carácter de turismo ou de negócio.

O saldo migratório pode ser negativo?

O "**saldo migratório**" é a diferença entre a imigração (entrada) e a emigração (saída) num determinado país ou região durante um período de tempo, normalmente um ano. O saldo migratório é negativo quando o número de emigrantes excede o número de imigrantes. Em Portugal, nos anos mais recentes, ao contrário do verificado desde 1993, o saldo migratório voltou a ser negativo.

As remessas dos emigrantes e dos imigrantes afectam a balança de pagamentos?

A "**balança de pagamentos**" consiste num método utilizado pelos países para monitorizar as transacções monetárias internacionais num determinado período de tempo, ou seja, o dinheiro que entra e sai de um país. As "**remessas**" são quantidades de dinheiro enviadas por emigrantes para os seus países de origem. Assim, as remessas contribuem para aumentar ou diminuir a balança de pagamentos e tendem a aumentar com o crescimento do número de emigrantes. Em Portugal, em 2011, as remessas de emigrantes portugueses no estrangeiro foram de 2 430 491 milhares de euros e as remessas de imigrantes em Portugal foram de 585 626 milhares de euros.

Existe um stock de população estrangeira?

O "**stock de população estrangeira**" corresponde ao número de indivíduos de nacionalidade estrangeira com estatuto legal de residente. Em 2010, residiam legalmente em Portugal 443 055 cidadãos estrangeiros, e quase metade destes eram mulheres (49%).

Os cérebros podem fugir ou circular?

A "**fuga de cérebros**" ou *brain drain* consiste na emigração em grande escala de um grupo de indivíduos altamente qualificado. Em face da actual evolução tecnológica e facilidade de deslocação, surge também o fenómeno de "**circulação de cérebros**" ou *brain circulation*.

Para saber mais...

Publicações

Maria João Valente Rosa, Paulo Chitas, "Portugal: os números", Fundação Francisco Manuel dos Santos, 2010

Maria João Valente Rosa, Hugo de Seabra, Tiago Santos, Colecção Estudos do Observatório da Imigração, "Contributos dos Imigrantes na Demografia Portuguesa: o papel das populações de nacionalidade estrangeira", Observatório da Imigração, 2003

Hugo Martinez de Seabra, Tiago Santos, "A Criminalidade de Estrangeiros em Portugal: um inquérito científico", Observatório da Imigração, 2005

Rui Pena Pires, Fernando Luís Machado, João Peixoto, Maria João Vaz, "Portugal: Atlas das Migrações Internacionais", Fundação Calouste Gulbenkian, 2010

Brian Keeley, "International Migration: The Human Face of Globalisation", OCDE, 2009

Comissão Europeia, "Moving Europe: EU research on migration and policy needs", 2009

Eurostat, "Europe in figures – Eurostat yearbook 2011", 2011

Eurostat, "Migrants in Europe – A statistical portrait of the first and second generation", 2011

Nações Unidas, "Migrants by origin and destination: The role of South-South migration", 2012

Nações Unidas, "Guidelines for Exchanging Data to Improve Emigration Statistics", 2010

OCDE, "International Migration Outlook 2011", 2011

OCDE, "The Brain Drain and Negative Social Effects: When is the Home Country Hurt?", 2007

Bases de Dados

http://www.ine.pt

http://www.pordata.pt

http://ec.europa.eu/eurostat

http://www.oecd.org

http://www.un.org/en/databases

http://www.sef.pt

Links

http://www.iom.int/jahia/Jahia/portugal

http://www.observatorioemigracao.secomunidades.pt

http://www.oi.acidi.gov.pt/

TESTEMUNHO DO RELATOR

Carlos Fiolhais
Professor na Universidade de Coimbra

O futuro é uma fatalidade?

O futuro é e não é uma fatalidade. É uma fatalidade porque o futuro é sempre uma projecção do passado, é o limite dos nossos conhecimentos, da nossa vontade e da nossa acção. O passado condiciona obviamente o futuro. Mas, por outro lado, o futuro não é uma fatalidade, porque paira sempre o factor da incerteza, que pela imprevisibilidade que nos proporciona pode ser considerada uma "alegria". A incerteza permite que nada esteja excluído, por mais improvável que seja. O destino não está, portanto, escrito nas estrelas. Embora a natureza humana seja uma constante ao longo dos tempos históricos (e embora ela "não seja grande coisa"), não há nenhuma teleologia na história.

Para Rui Ramos, a história é bastante útil: podemos aprender com os erros do passado, embora só muito raramente os erros sejam os mesmos e a sua análise no presente possa servir na construção do futuro, estando nós limitados pelos nossos sentidos e pela nossa própria vida. Abundam as previsões erradas, como a da lei de Malthus, que não levou em conta a evolução tecnológica. José Pacheco Pereira, também historiador, tem uma visão mais radical sobre o futuro: só há passado e presente, no sentido em que tudo o que se pode dizer sobre o futuro não passa de uma ficção, de uma prosa mais ou menos impressionista. Segundo ele, nada se pode dizer de científico sobre o futuro. Os homens cometem erros permanentes e erros novos. Céptico sobre o progresso, referiu a concretização repetida da lei de Murphy: se algo pode correr mal, correrá. Pode, por exemplo, acontecer que em 2030 já nem exista Portugal nem portugueses. Para Henrique Cayatte, e na mesma linha, por causa da incerteza inerente ao desenrolar da história daqui a 30 anos estaremos talvez a rir-nos das conclusões do Encontro.

Nas perguntas da assistência perpassou a preocupação sobre o presente em Portugal e assomaram os receios a respeito do futuro mais próximo. Em particular, uma voz jovem falou da geração "bomba-relógio", uma geração que não pode aspirar a mais do que a bolsas, adiando o desemprego inevitável e uma geração que, apesar dos seus altos níveis de educação, quase não tem direitos nem expectativas. A democracia que conduziu a este estado de coisas foi classificada como incompetente. Henrique Cayatte relativizou a crítica, por não termos, nesta altura, uma perspectiva histórica suficiente. Lembrou que ele era do tempo em que não havia telemóveis nem Internet. Um buraco numa parede, de perto parece muito feio, mas de longe quase não se vê. Pacheco Pereira concordou: afirmou que havia outros estratos populacionais em pior situação do que os filhos da classe média urbana com formação, que ainda dispõem de alguns privilégios e não se deveriam depreciar como o fazem.

No público, Rosado Fernandes lembrou Xenofonte, traçando o paralelismo da Guerra do Peloponeso com os actuais tempos da *troika*. Não é que haja fatalidade, mas é sempre bom olhar para o passado, lendo os clássicos.

A emigração é um infortúnio?

A emigração, entendida como "mobilidade com fixação", não é um infortúnio. É um direito. Não tem que ser uma obrigação, devendo antes resultar de uma escolha. Para Portugal e para os portugueses, não tem que ser, conforme afirmou Onésimo Almeida, emigrado há muitos anos nos Estados Unidos, "uma maldição, mas sim uma tradição". Portugal protagonizou, nos séculos XV e XVI, a primeira onda de globalização. Hoje, num mundo global, o nosso país tem de ser o mundo, apesar de naturalmente ser sempre difícil, sendo por vezes muito doloroso, sair da inércia e dar o primeiro passo para fora.

Para o geógrafo Jorge Macaísta Malheiros, a emigração pode ser uma solução com lucro triplo: para quem sai, pois muda as suas condições de vida; para o país de onde se sai, que provavelmente vai receber divisas; e para o país que acolhe, pois passa a dispor de mão-de-obra que necessita. Mas nem sempre este lucro é para todos e nem sempre ele é repartido. Lembrou que cidades multiculturais, que acolheram grandes fluxos emigratórios, como Nova Iorque, são centros muito activos não só de negócios como de criatividade, designadamente artística. A emigração pode proporcionar oportunidades a quem, por um motivo ou outro, não as encontra, a certa altura, na sua pátria.

Onésimo Almeida lembrou que, no caso dos Estados Unidos, a emigração de pessoas com baixa formação acabou. Mesmo a emigração de jovens para fazer licenciatura é difícil, não havendo financiamentos que cubram, entre outros custos, as propinas muito elevadas. Mas a emigração para a realização de doutoramentos e pós-doutoramentos já é bem-vinda, designadamente nalgumas disciplinas e profissões, podendo ela conduzir a uma fixação a longo prazo. No caso português, lembrou a existência da diáspora lusitana, uma rede, em certos casos com nós muito qualificados, que pode acolher emigrantes. A identidade vive-se na relação da comunidade portuguesa entre si e com a terra natal. Se há dez milhões de pessoas no país, poderá haver cinco milhões lá fora, considerando a segunda e terceira gerações. Para o cineasta Cristóvão Fonseca, neto e filhos de emigrantes portugueses em França (saídos por altura da Primeira Guerra Mundial e nos anos de 1960), a emigração portuguesa hoje nesse país não é bem retratada pelo *cliché* da "mala de cartão". A geração dos filhos dos emigrantes em massa nos anos de 1960 subiu na vida. O nível médio dos emigrantes portugueses em França é hoje superior ao nível médio da população francesa, estando eles em geral perfeitamente integrados. Por vezes a ligação à pátria está definitavmente perdida.

Em situações de crise como a actual, a emigração, com as facilidades que há de circulação no mundo, é inevitável. Alguns dos nossos melhores talentos tenderão a ir para fora, interessando nesse caso que sejam mantidas ligações ao país de origem. Resta saber se deve haver uma posição do governo a este respeito. Onésimo Almeida é optimista no que respeita à eventual "sangria" no país: quem parte, mesmo que seja do cimo, deixa sempre lugar para alguém. *There is more room at the top!* Mas é preciso mudar o país, para não se ter de mudar de país.

A imigração põe em risco a segurança e a identidade?

A imigração em Portugal não põe em risco a segurança nem a identidade nacional. Isso acontece porque a imigração não é numerosa: a população estrangeira em Portugal não passa de cerca de 4 por cento da população total, sendo cerca de metade oriunda de países de expressão portuguesa. Estamos bem longe de valores europeus, como os do Luxemburgo, onde há quase 50 por cento de emigrantes (muitos deles portugueses). É difícil estimar o fluxo futuro de imigrantes, um número muito dependente do desenvolvimento da economia nacional, mas pode dizer-se que os imigrantes em Portugal apresentam índices de natalidade superiores ao dos nacionais.

O advogado e político António Vitorino afirmou que havia integração dos imigrantes em Portugal, aceitando os portugueses em geral bem os imigrantes. A cor da pele não é um factor de exclusão. Notou, porém, que se revelou uma certa ambivalência em inquéritos realizados junto dos nacionais: se houvesse ameaça de concorrência no emprego, logo a aceitação tenderia a deteriorar-se (*vide* o caso dos dentistas brasileiros).

Para o jornalista Ricardo Dias Felner, que possui grande experiência no diálogo com imigrantes, a comunicação entre nacionais e imigrantes é e deve ser cada vez mais enriquecedora para uns e outros. Notou, ainda assim, que havia fenómenos, por vezes subterrâneos, de racismo, por parte de pessoas de etnias diferentes. O outro é sempre o outro, por maior que seja ou pareça ser a nossa abertura em relação a ele.

A socióloga Margarida Marques lembrou a grande homogeneidade da população portuguesa, moldada por séculos de história, de influência da Igreja e, mais recentemente, da escola e dos *media*. Há patrimónios e narrativas comuns, que explicam, por exemplo, o rápido acolhimento do cerca de meio milhão de retornados após a independência das colónias. Para ela, as cores e sabores acrescentados hoje pelos imigrantes ao quotidiano português representam um claro enriquecimento para o país. Sobre a tolerância relativamente à diferença, António Vitorino lembrou que, apesar de toda a abertura no campo cultural (incluindo aí a gastronomia), há limites, no plano dos valores civilizacionais, que não devem ser ultrapassados. Deu como exemplos a excisão feminina e a poligamia. E acrescentou que "não vale a pena testar os limites da tolerância, não se deve criar um problema onde ele não existe". Quanto às ameaças à segurança que se traduzem no aumento da criminalidade, defendeu que a abertura das fronteiras na Europa obrigava a maior "inteligência" e cooperação das polícias nacionais, de preferência a restrições unilaterais.

Foi convicção comum que, em 2030, o país e, em particular, Lisboa será ainda mais multicultural do que já é hoje. Ao coexistir com novas músicas, o fado não vai de modo nenhum acabar. O mais certo é transformar-se, ganhando novas formas, ao mesmo tempo que permanece o fado tradicional. O fado muda, mas o fado permanece.

O FUTURO É UMA FATALIDADE?

AFASTAR O NARIZ DA PAREDE

Henrique Cayatte
Designer

*Powers of Ten – A film dealing with the relative size of things in the Universe and the effect of adding another zero** é o primeiro de dois documentários escritos e realizados pelo atelier do casal de designers Charles e Ray Eames para a IBM. Dois dos mais importantes designers do século XX que souberam cruzar conteúdos e a sua comunicação como ninguém. O protótipo foi terminado em 1968 e a versão definitiva em 1977. Ambos inspirados no livro *Cosmic View*** do pedagogo holandês Kees Boeke, editado em 1957.

Imaginemos um eixo vertical onde corre uma "câmara" que começa num piquenique de um jovem casal num dia soalheiro, em Chicago, e se afasta na direcção do sistema solar sempre acrescentando um zero à distância em que se estava no passo anterior. Quando atinge a distância de 100 milhões de anos-luz pára e começa o movimento

* Potências de Dez – Um filme que aborda a dimensão relativa das coisas no Universo e o efeito de somarmos outro zero.
** Visão Cósmica.

inverso na direcção da Terra, na direcção da cidade e do piquenique do início desta viagem. Quando o espectador pensa que o filme vai terminar ao voltar ao ponto de partida, esta "câmara" entra pelo corpo humano num *zoom* que permite ir até 0.000001 angstroms revelando o complexo universo que o habita.

Afinal um universo tão complexo e maravilhoso como o outro. E como ele, em grande medida, desconhecido.

Este filme foi, e continua a ser, uma poderosa metáfora sobre aquilo que vemos ou pensamos ver, mas também sobre o que desconhecemos e a forma como avaliamos a informação disponível.

Convoca-nos para um exercício de ponderação de diferentes pesos e diferentes medidas e de uma permanente busca que permite novas análises e novas propostas.

Como na alegoria do nariz encostado a uma parede que nos permite só ver o que está mesmo à nossa frente impedindo-nos de ver, e de avaliar, a enorme e complexa textura que está lá mas fora do nosso ângulo de visão. E é isto que nos impede de tratar a nossa crise demográfica, cultural, económica e política com um plano concertado e qualificado. Isolados temos a tendência para nos concentrarmos quase que exclusivamente nos acontecimentos do imediato e nos protagonistas que nos são oferecidos por intermediários da informação.

Esta conferência ofereceu-nos uma oportunidade excelente, quase única, de procurarmos uma reflexão de conjunto cruzando os mais diversos saberes.

Trata-se de pararmos e voltarmos, não só a olhar, mas a ver.

FALAR DO FUTURO: QUATRO NOTAS.

Rui Ramos
Investigador principal no Instituto de Ciências
Sociais da Universidade de Lisboa

1.

Nunca saberemos o suficiente para falar do futuro como se o futuro já tivesse acontecido, precisamente porque o futuro é o que não aconteceu. Mais: o futuro é o que pode não acontecer. O futuro é algo sobre o qual só é possível falar com alguma pertinência a partir do presente e do passado, isto é, a partir do que já aconteceu ou está a acontecer. Caso contrário, não faremos mais do que projectar desejos e vontades no tempo que está para vir. Só a análise do presente e do passado nos permite chegar à previsão relevante, através do método de identificar *tendências*, desenhar curvas, construir modelos de simulação ou imaginar cenários, etc. Não é por acaso que é no clima e na demografia que mais falamos do futuro distante, porque são áreas em relação às quais é possível definir tendências a longo prazo.

2.

Só nos preocupamos com o futuro quando o futuro é incerto, isto é, quando temos a sensação de que o presente pode não durar. Ou seja, o futuro aparece como grande tema de reflexão sobretudo quando pode ser pensado como a negação do presente, como uma ruptura. Falar do futuro é um sinal de dúvida.

3.

O futuro está nas nossas mãos, ou nós estamos nas mãos do futuro? O futuro é ou não é uma fatalidade? 1) O futuro é uma fatalidade no sentido em que muito provavelmente será diferente daquilo que desejamos, ou melhor, daquilo que podemos desejar. É feito de muitas vontades, não de uma só vontade, e é contingente, no sentido em que será afectado por aquilo que está por criar ou acontecer. 2) O futuro não é uma fatalidade porque não está determinado, já fechado, já feito. O futuro não tem de ser fatal. Até porque ainda não existe.

4.

Não sei se, de acordo com uma frase muito usada, devemos tentar construir o futuro. Devemos tentar construir o presente, de modo a que o futuro não tenha de ser a negação do presente. Isto é, devemos construir presentes viáveis. Mas se nós – a geração de agora – pudéssemos prever e definir o futuro com toda a certeza, os nossos descendentes não seriam livres. O futuro é o nosso limite no tempo. E ainda bem. É onde o nosso futuro acaba que começa o futuro dos outros. Tal como com a liberdade.

A EMIGRAÇÃO É UM INFORTÚNIO?

Cristóvão Fonseca
Cineasta

De um ponto de vista geral, a emigração pode ser um enriquecimento positivo a vários níveis. Emigrar permite abrir perspectivas, as mentalidades, e assim voltar com novas experiências e novas ideias das quais poderá beneficiar o país de origem.

Mas de acordo com vários sociólogos, são os motivos e as circunstâncias da emigração assim como as relações com o país de origem que são determinantes para tornar esta experiência em algo positivo. Por estas razões, no que toca à emigração relacionada com Portugal passada ou atual, podemos emitir certas dúvidas, porque as gerações sucessivas de emigrantes, emigraram não por escolha mas por despeito ou obrigação. É esta a verdadeira constante da emigração portuguesa. Gerações de portugueses que, graças às suas qualidades humanas e laborais, têm sabido mostrar o seu espírito empreendedor para alcançarem aquilo que, por uma razão ou outra, lhes foi negado em solo natal e que ao longo da história contribuíram para o desenvolvimento do país. Uma contribuição que poucas vezes foi devidamente reconhecida.

Portugal sempre manifestou um certo desdenho crescente (em relação à sua diáspora, que faz com que hoje em dia exista uma ignorância e uma indiferença em relação àquilo que representa esta população, o que não permitiu que os mesmos erros se repetissem com os emigrantes atuais.

No entanto, a evidência é gritante: a riqueza do país está fora das suas fronteiras.

Mas Portugal parece ser o único a não querer ver que a atividade da sua diáspora representa várias vezes o seu próprio PIB nacional. Ao contrário dos países que acolhem estes emigrantes, que todos os dias vão constatando a incrível força empreendedora e de criação da comunidade portuguesa. Citando apenas o exemplo da comunidade portuguesa em França, que é hoje a população mais ativa do país com a mais forte percentagem de empreendedores: a atividade total da diáspora portuguesa de França representa entre 5 a 10 por cento do PIB francês, embora ela represente apenas 2 por cento da população de França. Supostamente, qualquer país iria aproveitar esta rede mundial única para se implantar internacionalmente e incentivar, através de grandes medidas, a criação de uma força empreendedora no seio do seu país de origem. No entanto, até hoje, Portugal não soube realmente explorar esta especificidade que desde há anos está ao seu dispor.

Neste momento, em que o país conhece uma nova vaga de emigração, em que a história parece repetir-se inevitavelmente, dá que pensar.

As razões que levam ainda hoje milhares de pessoas a deixar o país, as suas condições deploráveis de emigração, as suas competências perdidas e a indiferença pelo incrível potencial inexplorado da diáspora portuguesa, deixam um gosto amargo.

Então, a verdadeira questão que se coloca ao povo português e à sua classe dirigente é: "querem realmente que a emigração não seja um infortúnio?". Porque as soluções estão facilmente a seu alcance.

A EMIGRAÇÃO é um INFORTÚNIO?
EMIGRAÇÃO 2030 – NAÇÃO TRANSNACIONAL E DESENVOLVIMENTO?

Jorge Macaísta Malheiros
Professor Associado no Centro de Estudos
Geográficos da Universidade de Lisboa

Num plano abstracto, conceber a "emigração" como um infortúnio tem uma resposta negativa. É verdade que "emigrar" tem uma carga de esforço, expressa nos sentimentos de saudade e nostalgia, normalmente superior à acção de permanecer, de não mudar de local. Implica vencer a inércia sócio-geográfica, o que significa uma ruptura com a sociedade e o lugar que conhecemos e, em simultâneo, assumir o risco, mais ou menos controlado, de contacto e inserção num espaço social e culturalmente diferente. Contudo, este processo, que implica corte e adaptação, pode ter um profundo conteúdo emancipatório e de realização pessoal, se o lugar de destino for caracterizado pela abertura e tolerância perante a diversidade e se os imigrantes conseguirem aproveitar as eventuais oportunidades que se lhes apresentam.

E como é que isto se aplica ao caso português no presente e nos permite efectuar uma leitura para o futuro? Investigadores sociais diversos consideraram a emigração como uma característica "estrutural" da sociedade portuguesa. Outros enfatizam que é um processo apenas associado ao papel das redes sociais de, pelo menos, 3,5 milhões de portugueses espalhados pelo mundo, mencionando que, no quadro da globalização, toda a gente deve preparar-se para emigrar... de Portugal! Em nossa opinião, estes raciocínios têm fundamentos válidos, que devemos situar no âmbito da pequena economia aberta do país, cujas dependências parecem ter-se acentuado no quadro da globalização. É também verdade que a diáspora portuguesa tem um papel activo no incentivo e na canalização da emigração para determinados locais, pela influência da rede social e pelo modo como soube cunhar e "naturalizar" formas específicas de "saber circular". Contudo, se este quadro "normaliza" a emigração de portugueses, também deve considerar-se "normal" o desejo de ficar, de não emigrar. É apenas quando as duas opções se colocam – ficar ou partir –, existindo oportunidades nos dois espaços, que o exercício da mobilidade funciona como um direito substantivo. Se internamente os poderes político e económico não conseguem oferecer alternativas, então a emigração passa de opção livre a solução praticamente única, semi-forçada. Ora, no presente contexto, com um processo de empobrecimento geral, taxas de desemprego dos jovens crescentes, já na casa dos 30 por cento, e um discurso completamente desmotivador relativamente aos próximos 10-15 anos, a emigração não é colocada como uma opção, mas sim como a única alternativa.

Em suma, e assumindo que os volumes emigratórios se devem manter elevados pelo menos até ao final do presente decénio, seria importante, desde já, promover, para além de uma política mobilizada pelo crescimento económico e pela justiça social, uma estratégia para a emigração que incorporasse uma ideia clara de esperança no futuro de Portugal e fomentasse, de modo explícito e pró-activo, a ligação dos novos emigrantes ao país, implicando-os num processo de desenvolvimento que envolve toda a nação, tanto presente como ausente. Apenas neste quadro será possível criar, lá para 2030, um Portugal confiante e dinâmico, com um conceito de nação abrangente, mas envolvido, e capaz de construir um verdadeiro "país transnacional".

Onésimo Almeida
Filósofo e professor na Brown University

1.

Em Portugal, emigrar não é uma maldição mas uma tradição. Se fosse maldição, era caso para dizermos que somos um país maldito há séculos e que até se vangloria disso, porque nos séculos XV e XVI emigrou-se tanto que ainda hoje faz alarde disso.

2.

Emigrar pode ser bom para quem parte; pode ser até muito bom. E pode ser melhor mesmo para quem fica: poder contar com o que lá fora quem parte pode fazer em favor de quem fica. Desde enviar remessas para a família. A diferença está entre o *pode ser* e o é.

3.

No estrangeiro dos países de destino da nossa emigração, as oportunidades de sucesso profissional são sempre mais abundantes que em Portugal? Falo do que conheço: EUA e Canadá. Sim, há. E mais do que se imagina. Primeiro referir-me-ei à outra emigração, a não--especializada, a tradicional, a que permitiu a ida de centenas de milhares de portugueses para esses dois países. As estatísticas estão à vista. Ela já terminou. Ou quase. Não há mais saídas. É um erro para portugueses não especializados e ilegais lançarem-se nessa aventura. Desapareceram as fábricas que absorviam essa mão-de-obra logo no dia seguinte à sua chegada e que começava de imediato a ser bem paga. Emprego fixo, seguro e com bons benefícios sociais. Fiquem em Portugal, onde ainda se vive muito melhor, apesar das queixas perenes dos portugueses. E poderia enumerar as razões, dessem-me tempo.

A nível de profissionais, a minha sugestão é: basta estarem atentos e procurem empregos onde pensam que podem competir com os melhores. É assim que os EUA têm aceitado, em concursos internacionais, portugueses do topo que têm ficado em primeiro lugar nos concursos. Depois, é a empresa ou instituição que se encarrega de justificar perante o Departamento Federal de Imigração e Naturalização que a pessoa tem direito a um visto ao abrigo da oitava preferência, por ter sido escolhida num concurso internacional e ter sido a primeira escolha. É a conhecida última preferência das oito da emigração americana, a tal que permite o *brain drain* do resto do mundo em demanda dos EUA. Conheço casos recentes de portugueses nessa situação. Em diversíssimas áreas, desde a hotelaria, à informática e à arte.

Portugal perde essa gente? Sim, perde por um lado, mas acabará por ganhar porque essas pessoas vão certamente estabelecer ligações com Portugal a variadíssimos níveis que poderão ser muito benéficas, se devidamente aproveitadas.

A IMIGRAÇÃO PÕE EM RISCO A SEGURANÇA E A IDENTIDADE?

António Vitorino
Comissário do Fórum Gulbenkian das Migrações

Os fluxos migratórios são um dado permanente: com variações em função das realidades económicas tanto dos países de acolhimento quanto dos de origem, podemos dizer que a mobilidade das pessoas através das fronteiras é um dado do mundo global em que vivemos.

Numa sociedade como a portuguesa, que à semelhança da maioria das sociedades contemporâneas se tornou simultaneamente numa sociedade de origem e de destino de migrantes, a presença de comunidades estrangeiras representa uma interpelação à ideia que fazemos de nós próprios como Nação.

Historicamente, concebemo-nos como uma comunidade humana homogénea e pouco diversificada. A imigração prova que progressivamente nos temos diversificado tanto do ponto de vista étnico e cultural como religioso. Esta diversidade coloca desafios de integração, tanto aos que vêm como aos que recebem os que chegam.

Sem querer fazer futurologia, poderia dizer que me parece inelutável que esta diversidade será mais acentuada nas décadas vindouras. E que os desafios da integração não podem ser deixados à mera responsabilidade individual de cada um.

Sendo verdade que o processo de relacionamento dos autóctones com os migrantes é eminentemente um processo humano, tal não isenta nem o Estado nem a sociedade civil de responsabilidades próprias. Para uma integração bem-sucedida não basta contar com a boa vontade dos protagonistas, exige-se também uma pró-actividade das autoridades públicas (com especial relevo para os serviços públicos universais – saúde e educação) e das organizações, quer dos próprios migrantes, quer da sociedade civil do país de acolhimento (ONG, associações patronais e sindicais, associações culturais, etc.).

Neste ponto coloca-se a difícil questão da discriminação. É evidente que a reacção perante "o outro", aquele que "é diferente", coloca problemas de diferenciação que podem chegar ao ponto da discriminação. Muitas vezes essa discriminação resulta mais da ignorância e do desconhecimento desse "outro" do que de uma atitude de rejeição baseada em preconceitos.

A valorização da diversidade (das artes plásticas à música, da gastronomia à moda) deve constituir, por isso, um elemento de integração no respeito por um conjunto de valores fundamentais que constituem a identidade de uma comunidade livre, democrática, tolerante e pacífica (os direitos fundamentais inerentes à dignidade da pessoa humana, a igualdade entre os homens e as mulheres, a liberdade de religião e culto, entre outros).

Nestes tempos de crise, em que se regista uma diminuição dos fluxos migratórios que se dirigem ao nosso país exactamente pela percepção da falta de oportunidades de trabalho, importa que os sentimentos de solidariedade e de respeito mútuo resistam às agruras do quotidiano e que o sentimento de convívio pacífico persista e perdure entre nós.

A IMIGRAÇÃO PÕE em RISCO a SEGURANÇA e a IDENTIDADE?

Maria Margarida Marques
Fundadora do SociNova Migrações da Universidade Nova de Lisboa

Como evoluirá a sociedade portuguesa nos próximos 20 anos? E que papel terão os imigrantes nesse processo?

Como vários estudiosos colocaram em evidência, há duas versões que se opõem sobre o que é ser português: a primeira sublinha os traços específicos da origem lusa; a segunda, a especial capacidade de relacionamento que levou à construção do "mundo lusófono".

Na verdade, as nações estão longe de ser entidades homogéneas; mas também não são entidades completamente maleáveis ou a-estruturadas. A identidade nacional constrói-se no tempo e com ele evolui – através das narrativas formais, mas também no quotidiano.

Depois da descolonização e da mudança de regime, Portugal ganhou novas gentes, dinamismo demográfico, mas também iniciativa empreendedora, criatividade cultural e capacidade de relacionamento com outras partes do mundo. Novas narrativas surgiram.

Lisboa, em especial, que acolheu a maioria dos fluxos da descolonização e de outras origens, e onde os descendentes nasceram e se fixaram, ganhou novas capacidades de posicionamento no mundo contemporâneo. A cidade surge hoje como um destino turístico cosmopolita, albergando desde a Lisboa castiça, à Lisboa africana. Os seus habitantes têm uma enorme variedade de escolha em matéria cultural e de lazer. As suas actividades económicas, culturais, cívicas, apoiadas em redes transnacionais, acompanham a mundialização.

Mas nos últimos decénios também novas ameaças se perfilaram: a deslocalização de investimentos, a perda de empregos, a retracção do Estado das actividades sociais, a rarefacção de instituições e serviços públicos em determinados espaços, a persistência de bolsas de pobreza. Todas contribuem para o crescimento do sentimento de insegurança e o receio e rejeição da globalização, sobretudo por parte dos mais vulneráveis, podendo ainda suscitar problemas de coesão social, em particular o racismo e a xenofobia.

Em suma, em 2030, Lisboa (mas também as outras metrópoles europeias) será certamente uma cidade muito mais diversa do que a cidade do início do milénio; para evitar o aprofundamento de novas clivagens sociais, e acompanhar o processo de integração europeia, terá de evoluir no sentido de uma maior representação pública da diversidade que existe de facto, não apenas limitada às esferas da cultura ou do desporto, mas abrangendo também a esfera de articulação de interesses; e, mercê da criação e lubrificação quotidiana de redes transnacionais, estará mais capacitada para mobilizar parcerias e aproveitar as oportunidades da globalização.

A IMIGRAÇÃO PÕE em RISCO a SEGURANÇA e a IDENTIDADE?
O DILEMA DO PARQUE JOSÉ GOMES FERREIRA

Ricardo Dias Felner
Jornalista, escritor

O multiculturalismo é um conceito relativamente pacífico. Mas não nos iludamos, é sempre assim: estas coisas só se tornam controversas quando se intrometem na vidinha, quando nos interpelam. Nessa altura, tornam-se num "problema": o problema dos brasileiros ruidosos que vivem no andar de baixo; o problema dos africanos preguiçosos e indisciplinados; o problema das domésticas de Leste com excesso de qualificações e de arrogância intelectual.

Ou seja, uma coisa é o multiculturalismo, outra coisa é o que fazemos dele.

Vejamos este exemplo.

O parque José Gomes Ferreira, em Lisboa, é uma das matas mais bonitas da cidade, com os seus sobreiros, oliveiras e alfarrobeiras. Mas há uns dez anos servia sobretudo de casa de banho para os animais domésticos do bairro e de espaço de transacções ilícitas. As coisas só começaram a mudar, verdadeiramente, em 2002, quando um grupo de imigrantes do Bangladesh começou a ir para lá jogar *cricket*. Isto durou uns meses, até que, de repente, à hora do almoço começaram também a aparecer uns indivíduos com a pele mais clara, cheios de *tupperwear*, pacotes de batatas fritas e cervejas – a chamada vaga do Leste tinha descoberto o sítio.

A cada fim-de-semana que passava eram mais, até que uns meses depois surgiu também uma família africana, e depois outra e outra.

O "problema" (lá está, eis o instante em que o "multiculturalismo" se eclipsa e surge o "problema"...) foi quando deixou de haver lugar para todos.

E começou a batalha pelo espaço.

E os africanos ganharam a batalha.

Os africanos eram ostensivos na sua festividade e punham a música alta. Às tantas, não faziam piqueniques mas discotecas ao ar livre. Levavam grandes geradores para as aparelhagens e os convívios juntavam centenas de pessoas. O chão da mata começou então a encher-se de latas de Coca-Cola, papéis, sacos de plástico; e em redor do recinto dos piqueniques cheirava a urina.

As autoridades acabaram por ser chamadas ao local, recebendo queixas de barulho e degradação do espaço.

Seria nesta fase que uma sociedade evoluída debateria uma solução à luz do multiculturalismo, afastando-se da babugem dos protestos. Mas o voluntarioso agente convocado para resolver "o problema" usou da intuição – recurso perigoso nestas circunstâncias. Até começou bem ("Nós estamos a pedir às pessoas para terem mais cuidado com o lixo"), mas depois foi descambando ("Isto é mais por causa dos africanos"), concluindo com um absurdo racista ("Os africanos deitam tudo para o chão").

Absurdos racistas não podem acontecer. Com multiculturalismo ou interculturalidade ou assimilação. Isto é simples.

Mas o que decidiria você, nesta circunstância?

PROJETOS DE FUTURO: VALEM A PENA?

Fernanda Freitas
Jornalista

Querido Futuro,

Escrevo-te a partir do Presente. Com um assunto do Passado....

Isto porque, há uns tempos, no Centro Cultural de Belém, falou-se precisamente de futuro...

Não se falou em adivinhar o futuro – já que o discurso cientifico não poderá conter adivinhações – mas todos os debates se basearam em projeções... para o futuro.

Recebemos dossiês com dados e cenários prováveis – e só nos podemos (e pudemos) debruçar, de facto, sobre cenários hipotéticos – aqueles em que a população continuará a envelhecer sem renovação geracional ou aqueles em que conseguiremos inverter a pirâmide demográfica; os que nos dão conta da contínua deslocalização para o litoral ou um regresso ao interior; os que olham para a imigração como a única forma de equilibrar um sistema social agora desequilibrado ou, por outro lado, como um risco para a nossa segurança e identidade; ou ainda os que nos obrigam a discutir se emigrar é uma oportunidade ou um infortúnio....

Questionou-se igualmente sobre se o futuro é ou não uma fatalidade...

E apercebemo-nos de que, de facto, independentemente do cenário que venha a colocar-se como único, o futuro é uma fatalidade – mas sem ser, necessariamente fatal: é fatalidade no sentido do inevitável mas sendo condicionado pelo acaso e pela imprevisibilidade, não é regido pelas nossas vontades – o que implica não estar ainda fechado, desenhado, decidido.

Tudo o que ainda está para vir, tudo o que está por acontecer, afeta o que está para além do presente. Porque, na realidade, só há presente.

Devemos por isso investir em construir presentes que possam ter futuro.

(...mas mesmo sabendo que temos de nos concentrar neste presente gostamos de falar do futuro porque acaba por ser uma forma de lutar contra a morte... a verdadeira fatalidade)

Falar do futuro pode implicar falar de cenários menos cinzentos do que aquele em que vivemos hoje: desemprego, falta de investimento na educação, cortes constantes daqueles que outrora foram direitos adquiridos; onde o futuro (leia-se: os jovens) não parecem acreditar fazer parte de uma possível solução; acreditarão (alguns pelo menos) que o futuro é apenas e só, uma fatalidade.

A sociedade que hoje se constrói – sem olhar para projeções – parece estar mais preparada para dinamitar do que para dinamizar: a geração "bomba relógio" não parece estar disposta a aguardar por esses novos cenários: quer construí-los a cada dia que passa, podendo fazer escolhas: quer estudar, quer trabalhar; quer ter mais filhos; quer emigrar porque tem vontade e porque o seu talento é reconhecido lá fora; quer viver no campo, quer viver na cidade; quer fazer voluntariado. Ou não. Mas quer poder escolher e não ser obrigada a fazê-lo.

Naquele dia, em Belém, falou-se de futuro. Deram-nos até uma "chave para o futuro" – desafiando-nos a todos para um pensamento nesse espaço temporal intangível.

Penso se seríamos mais felizes se pudéssemos programar tudo...

Decido que não. E que não quero olhar para o futuro como uma fatalidade.

Querido futuro,

Em 2012 falou-se de Portugal e de como será a nação no ano 2030; de como seremos enquanto portugueses.

Como alguém citou ao longo destas conversas, ler as atas destes encontros, daqui a 18 anos, será, pelo menos, muito animado.

Até lá, vivamos o Presente.

O ENCONTRO
CIÊNCIA TRADUZIDA

TESTEMUNHO DO RELATOR

David Justino
Assessor para os Assuntos Sociais do Presidente da República

O que é a demografia?

Foram seis as sessões que preencheram os trabalhos desta secção. Em todas elas esteve presente a base científica da demografia que enforma a particular maneira de pensar os problemas sociais e humanos.

Como ciência, a demografia foi definida por João Peixoto pelos seus objetos privilegiados: os que nascem, os que morrem, os que entram e os que saem. Eu acrescentaria também "os que vivem" nesse fluir contínuo entre a concepção e a morte e nos cada vez mais densos fluxos "dos que se movem" no exíguo espaço da vivência colectiva.

Preocupação comum em todas as sessões: o futuro! A demografia, pelas suas características, mais do que uma ciência que perscruta os fenómenos e as tendências observadas no passado, tenta construir representações do futuro de forma a preparar-nos para o incessante devir das sociedades. Como ciência, de há muito que os demógrafos nos habituaram a cenarizar o futuro possível.

E foi por um exercício de prospectiva que se iniciaram os trabalhos da primeira sessão. Como foi muito bem destacado por Filomena Mendes, elaborar uma projeção demográfica está muito longe de qualquer exercício especulativo ou divinatório. Há uma diferença enorme entre fazer uma projeção e consultar um oráculo. Principalmente quando vivemos uma era de incerteza em que a visibilidade sobre os desenvolvimentos futuros se torna cada vez mais reduzida.

Quantos seremos em 2030?

Esta foi a questão lançada pelo programa a que responderam os demógrafos Filomena Mendes e Maria João Valente Rosa.

Foram apresentados quatro cenários construídos sobre diferentes hipóteses de partida. Três desses cenários foram elaborados a partir do pressuposto de um saldo migratório nulo, ou seja, "sem migrações". No quarto cenário consideraram-se as migrações.

Ideia em destaque: só um dos cenários, o mais optimista, nos deixa ficar acima dos dez milhões de habitantes, mas sempre abaixo da população actual que ronda os dez milhões e meio de habitantes.

Nos cenários mais moderados a população projectada anda sempre muito perto dos dez milhões de habitantes. Para um observador exterior há que reconhecer que mesmo os cenários moderados têm ainda uma boa dose de optimismo.

No primeiro cenário, identificado como Cenário Zero, constrói-se a projecção como tudo se mantivesse como actualmente se regista: a esperança de vida não baixaria para além de 1,37 do índice sintético de fecundidade, de 76,4 anos de esperança de vida à nascença para os homens e 82,3 para as mulheres. Como dizem as autoras, trata-se de um cenário com intuitos meramente pedagógicos. Se assim fosse, chegaríamos a 2030 com pouco mais de nove milhões e meio de habitantes.

Os dois cenários seguintes consideram a hipótese de aumentos da fecundidade (mais acentuados no primeiro, mais moderados no segundo). A tese centra-se no facto observado noutros países que iniciaram o processo de transição do modelo de fecundidade mais cedo que Portugal, os quais, após uma quebra acentuada, voltaram a recuperar, ainda que nunca atingindo os níveis anteriores à quebra.

O quarto cenário que introduz os movimentos migratórios, combina os anteriores com saldo positivos da balança de entradas e saídas. Resultado: um valor muito próximo dos dez milhões.

Uma sociedade envelhecida?

Independentemente dos cenários, há um traço marcante em todas as tendências: vamos ter menos jovens, mais idosos e menos activos. Ou seja, estamos perante um triplo envelhecimento: o envelhecimento *no topo*, pelo aumento significativo da proporção dos idosos; o envelhecimento *na base*, pela diminuição drástica da proporção das crianças e jovens; e um envelhecimento nos grupos etários correspondentes à população activa pelo previsível "saldo migratório envelhecido". Este último fenómeno foi destacado pelo facto de termos uma estrutura migratória extremamente penalizadora para Portugal, especialmente devido ao retorno dos antigos emigrantes e ao previsível aumento da procura de turismo sénior.

A tendência longa do envelhecimento da população foi muito bem identificada por Maria Luís Rocha Pinto ao lembrar que o índice de envelhecimento *duplicou* nos 30 anos compreendidos entre 1950 e 1981, mas nos 30 anos seguintes esse índice *triplicou.*

Nesses últimos 30 anos ficou bem claro o impacto de termos perdido cerca de um milhão de crianças que não nasceram e termos ganhado 900 mil idosos para o total da população.

É neste contexto que importa questionar a velha figura da pirâmide etária que acompanha sempre os estudos dos demógrafos. Com esta tendência estamos a caminhar mais para o que poderemos designar de um "cogumelo" etário com redução da base e dos níveis intermédios e o aumento acentuado do topo.

Foi interessante o debate que se seguiu com a assistência, especialmente quando se introduziram as ideias de envelhecimento activo e o inevitável diferimento da idade limiar da actividade. Os atuais 65 anos serão, mais tarde ou mais cedo, adiados para idades superiores de aposentação.

Uma sociedade mais desigual?

Que a evolução demográfica, tal como ela foi prospectivada em algumas sessões, traz consigo uma estrutura social diferente é uma ideia que se generalizou a todos os participantes nesta secção. O problema que se poderá formular é se essa evolução acarreta maiores ou menores desigualdades, em termos sociais.

A tese defendida por Carlos Farinha Rodrigues é a de que os factores demográficos influem pouco sobre as desigualdades sociais. Então o que é que influi? O sistema produtivo, as políticas de distribuição de rendimento e, acima de tudo, mais e melhor educação.

O elemento-chave consiste em prever se vamos ter mais ou menos gente escolarizada e mais ou menos gente com melhor escolarização. De certo modo, será a forma como evoluir a educação e o sistema educativo em Portugal que nos permitirá dizer se as desigualdades sociais se vão aprofundar, manter ou atenuar.

Porém, importa estar atento ao sistema de oportunidades. De que vale ter gente mais escolarizada e com melhor educação se não lhe forem proporcionadas melhores oportunidades de forma a concretizarem as suas expectativas e os seus percursos escolares?

Duas ideias fortes que marcaram a exposição e o debate sobre as desigualdades sociais. A primeira traduz-se na realidade que o ensino superior já não torna as pessoas imunes nem ao desemprego nem à pobreza. O alerta lançado por Carlos Farinha Rodrigues é mesmo para levar a sério face aos números do desemprego dos jovens e à multiplicação de casos de pobreza de muitos licenciados.

A segunda ideia, lançada por Mário Centeno, foi traduzida através da imagem da "corrida entre a educação e a tecnologia": há uma grande parte da população portuguesa que, tendo perdido a corrida da educação, dificilmente poderá ganhar a corrida da tecnologia. Esta é uma das novas "chaves" que permitem compreender melhor o mecanismo de reprodução das desigualdades sociais.

Uma população mais móvel?

O debate em torno das desigualdades sociais trouxe ao problema o efeito da mobilidade acrescida num mundo cada vez mais globalizado.

"Tem de se ir trabalhar para onde houver emprego." A frase, lançada no debate por Alexandre Soares dos Santos, recolocou o problema da nova emigração e a possibilidade de estarmos a engrossar o vasto exército de "cidadãos do mundo". A emigração não é um fenómeno novo em Portugal, porém, nas actuais circunstâncias do mundo contemporâneo e no quadro de mobilidade do espaço europeu, o fenómeno migratório tende a entretecer o que poderemos designar por "desnacionalização" das relações sociais. Este novo quadro pode revelar aspectos positivos – a emigração pode ser uma oportunidade e um investimento –, mas também negativos – a desregulação dos mercados e o esvaziamento dos mecanismo de protecção social –.

Voltámos aos tradicionais saldos migratórios negativos, como bem lembrou Gilberta Rocha. Após algumas décadas em que os que imigravam tendiam a prevalecer sobre os que emigraram, regressámos ao *país de emigrantes* que nunca deixámos de ser. Há uma evidente reversão dos movimentos migratórios com o exterior e é lícito concluir que Portugal deixou de ser um país atractivo para os imigrantes, como muito bem destacou João Peixoto.

O segundo aspecto focado no tema da mobilidade foi o das migrações internas e do seu impacto sobre a coesão territorial. Neste domínio em particular, nada de novo quanto às tendências longas de polarização do litoral e de hemorragia demográfica do interior, levando a que muitas regiões já tenham o seu limiar de sustentabilidade. Neste quadro particular, o território português é cada vez mais desigual, como demonstrou Eduarda Marques.

Entretanto, há alguns sinais positivos: algumas cidades médias resistem à tendência depressiva e assumem-se como âncoras de desenvolvimento e travões à desertificação. Este fenómeno de concentração urbana, registado especialmente em algumas sedes de distritos do interior, também sido acompanhado de um esvaziamento das aldeias e dos campos. Estamos perante um claro efeito do que poderemos designar por "cidades eucalipto": crescem, secando tudo à volta. Em compensação, um outro tipo de sinal traduz-se na recuperação de muitas aldeias que tinham ficado quase abandonadas, enquanto espaços de lazer e de segunda habitação. Muitas delas reanimam-se nas férias, o que já era tradicional, mas também aos fins-de-semana: são "aldeias em *part-time*", com novos habitantes, novos referenciais de vivência colectiva e com um inegável contributo para a preservação do património colectivo e para a valorização turística destes lugares.

A morte oculta

"Se fôssemos imortais não precisávamos de ter filhos. Como ainda não somos imortais... precisamos de ter filhos!" A ideia de Filomena Mendes surgiu no debate sobre a natalidade e, com especial acuidade, sobre os mais recentes valores do chamado *saldo natural* que nos últimos anos se tem revelado negativo. Em cada ano, o número de óbitos é superior ao número de nascimentos. Não obstante vivermos mais tempo, nem sempre se vive melhor. O aumento da esperança de vida não se tem traduzidos em melhores condições de vida para a maior parte da população idosa.

Há uma mudança profunda nos padrões de mortalidade: há 30 anos, quando se falava de envelhecimento, associávamos de imediato a imagem da ruralidade. Hoje, morrer em meio urbano levanta novos problemas. Paulo Machado destacou essa nova fonte de preocupação colectiva ao falar dos que morrem silenciosamente nas cidades: cerca de 800 mil pessoas morrem isoladas. O envelhecimento urbano traz consigo a *morte oculta* resultante da quebra dos laços familiares e sociais, do isolamento de muitos milhares de idosos e da extrema vulnerabilidade em que vivem.

Lisboa é a capital da Europa mais envelhecida, facto objectivo que nem sempre revela os dramas por trás dos números. Paulo Machado fala mesmo de "erros de paralaxe social" quando se esconde a escala *micro* dos problemas, única forma de identificar os pontos negros das cidades.

Uma sociedade de filhos únicos?

Em todas as variáveis demográficas identificam-se não só mudanças quantitativas, mas, bem mais importante, alterações nos padrões qualitativos de como se nasce, como se morre e como se migra. Todas estas alterações convergem em mudanças sociais profundas que se expressam nas estruturas familiares

Cláudia Pina sintetizou muito bem essas alterações em torno da ideia de *adiamento*: casamentos mais tardios, nascimento do primeiro filho em mães com idades cada vez mais avançadas. A este diferimento da natalidade está associado igualmente o aumento significativo dos número de nascimentos concretizados fora do casamento, indiciando novas formas de conjugalidade.

Um traço marcante na fecundidade das mulheres portuguesas: o número de filhos desejados continua a ser bem superior ao número real, o que nos faz admitir uma margem razoável de fecundidade potencial que pode sustentar no futuro uma recuperação dos respectivos índices. Por enquanto, mantemo-nos num nível modesto de 1,37 filhos por cada mulher, o que denuncia uma sociedade que se arrisca a ser identificada maioritariamente como de *filhos únicos*, com tudo o que tal poderá representar de alteração nas estruturas familiares e no valor social de um filho.

Num quadro de baixa tendencial da fecundidade, é de assinalar um efeito de amortecimento: se não fossem os filhos de mães estrangeiras a residir em Portugal, o nosso saldo natural, para além de negativo, seria bem mais profundo. O contributo dos imigrantes para a manutenção dos nascimentos no seu nível actual é cada vez mais relevante.

Mas se nascem menos crianças, a probabilidade de sobreviverem nos primeiros anos é cada vez maior, fenómeno que aponta para uma transformação profunda: nos últimos 25 anos, passámos de um dos países europeus com as mais elevadas taxas de mortalidade infantil, para um dos que apresenta menor mortalidade. A qualidade e o crescimento efectivo da rede de cuidados materno-infantis é uma das explicações desta mudança.

Censos 2011, o que está a mudar em Portugal?

Fernando Casimiro e Maria José Carrilho elaboraram uma síntese daquilo que os primeiros resultados do Censos 2011 revelam e deixaram-nos algumas perspectivas acerca do que este importante retrato do País poderá traduzir da sua realidade socioeconómica.

É impressionante a forma como nas últimas três décadas se alterou o perfil da população portuguesa. A análise comparada dos sucessivos recenseamentos deixa transparecer esses grandes traços, que nem sempre de desenham a negro bem carregado, como a perspectiva do senso comum tende a reproduzir na opinião pública e publicada.

Como bem lembrava o historiador francês Fernand Braudel, os números não resolvem problemas, mas ajudam-nos a formulá-los de forma mais rigorosa e a colocar as questões fundamentais em função das ordens de grandeza e das tendências que eles representam. Saibamos nós formular bem esses problemas, que os números rapidamente nos darão a expressão do que muda, mas também o que de forma mais ou menos imperceptível se mantém, resiste e persiste numa imobilidade silenciosa face ao devir tumultuoso que se anuncia.

FUTURO: CERTEZAS E MARGENS DE LIBERDADE?

PORTUGAL 2030: UM PAÍS (AINDA MAIS) DESIGUAL?

Carlos Farinha Rodrigues
Professor do Instituto Superior de Economia e Gestão
da Universidade Técnica de Lisboa

O desafio que nos foi proposto foi o de tentar antecipar as consequências das alterações demográficas, que são possíveis de antecipar, sobre a desigualdade em Portugal, tendo como referência os principais determinantes da desigualdade económica ocorridos no passado recente.

Uma primeira questão a colocar é o da relevância das alterações demográficas sobre a desigualdade económica. Ao pretendemos encontrar os principais factores explicativos da desigualdade económica há que ter em conta três eixos fundamentais: em primeiro lugar, o processo de criação e distribuição primária dos rendimentos, isto é, o funcionamento do sistema económico. Em segundo lugar, o papel das políticas redistributivas implementadas através das políticas fiscais e sociais. Por último, as alterações demográficas em sentido lato que, no entanto, condicionam e se reflectem nos dois primeiros eixos já referidos.

Todos os estudos sobre a desigualdade realizados em Portugal indiciam que as questões demográficas têm um impacto directo reduzido na evolução da desigualdade, com a excepção da educação. Três aspectos suscitam particular atenção na análise da interdependência entre factores demográficos e a evolução da desigualdade.

Em primeiro lugar, a previsível diminuição da dimensão média das famílias e o aumento das famílias unipessoais. O impacto sobre a desigualdade depende fortemente do significado desta transformação demográfica. Temos mais idosos isolados ou mais indivíduos não idosos a viver sozinhos? A diminuição das famílias numerosas, tipicamente situadas em ambos os extremos da distribuição dos rendimentos, pode igualmente contribuir para uma alteração/diminuição da desigualdade.

A segunda questão prende-se com o envelhecimento da população. Também aqui se levantam diversas questões que não possibilitam uma resposta inequívoca. Qual o impacto sobre a desigualdade do aumento do número de famílias cujo indivíduo de referência é idoso? Ser reformado em 2030 significa o mesmo que ser reformado em 2012? Quais as consequências da alteração da estrutura dos rendimentos sobre a desigualdade? As pensões continuarão a desempenhar um papel predominantemente equalizador no conjunto dos rendimentos?

Por último, as alterações no nível educacional da população. O aumento do número de famílias cujo indivíduo de referência tem um nível de educação superior irá aumentar significativamente. O "prémio" associado ao ensino superior vai diminuir mas a heterogeneidade deste grupo vai aumentar. Apesar destes sinais contraditórios é expectável que a melhoria do nível de instrução/qualificação da população tenha um efeito significativo na redução das assimetrias na distribuição do rendimento.

O QUE SEREMOS EM 2030... ESTÁ A SER DECIDIDO HOJE

Mário Centeno
Economista

A demografia influencia as profissões do futuro, mas são as instituições de hoje que determinam o desenvolvimento e adoção das tecnologias futuras e interagem com as nossas decisões de educação e de procura de um trabalho. Assim, estamos a selecionar o nosso futuro – individual e coletivo.

Se as instituições forem inclusivas teremos uma população escolarizada, a participar nas decisões económicas fundamentais, com elevada mobilidade social e de rendimentos e uma sociedade meritocrática. Se essas instituições forem extrativas, teremos uma sociedade segmentada, com baixa mobilidade social e com baixo retorno económico para os investimentos em educação. Projetar as profissões do futuro passa por definir, já hoje, as instituições que determinarão o sucesso dos nossos investimentos.

A corrida entre a tecnologia e a educação determina as condições em que se processa o crescimento económico. À medida que o desenvolvimento tecnológico evolui, a procura por qualificações altera-se. A adaptação a este processo requer uma população de governantes, empresários, gestores e trabalhadores altamente escolarizados. Se todos estes agentes se conseguirem adaptar rapidamente, o crescimento económico torna-se uma realidade e a desigualdade é contida.

Até meados dos anos de 1990, a procura privilegiou os trabalhadores qualificados, com mais emprego e melhores salários. Os menos qualificados ficaram com menos emprego e menores salários. Portugal sagrou-se o campeão europeu da desigualdade: uma parte considerável da população portuguesa perdeu a corrida com a tecnologia.

Desde então, a procura por qualificações mais baixas ressurgiu, mantendo-se a procura por qualificações altas. A procura polarizou-se e as qualificações intermédias perderam. O crescimento da desigualdade reduziu-se entre os salários mais baixos, mas não entre os mais altos.

As novas tecnologias privilegiam as qualificações generalistas: matemática; ciência; gramática; lógica. No futuro, os empregos qualificados que possam ser exportáveis, mesmo os muito qualificados, podem estar em risco de ter a procura reduzida. Todos aqueles que possam ser substituídos por um programa de computador também estão em risco, mas os empregos não-rotineiros e que exijam a presença física do trabalhador (mesmo os menos qualificados) são mais seguros.

Para 2030, o sucesso passa por participar no crescimento económico no espaço europeu, promovendo práticas de liderança institucionais (inclusão) e melhorias nos níveis educativos. Não há outra opção. Se assim for, nunca seremos nem poucos, nem envelhecidos. E teremos as profissões que a tecnologia procura, ganhando a corrida pelo crescimento económico.

COMO NASCEMOS E MORREMOS HOJE?

Cláudia Pina
Instituto Nacional de Estatística

1. Natalidade

Uma das principais transformações demográficas, e com impactos sociais, nas sociedades europeias nas últimas décadas foi o declínio acentuado da fecundidade, ou seja, do número médio de filhos por mulher, associado ao aumento da idade média das mulheres ao nascimento dos filhos e, em particular, ao nascimento do primeiro filho.

Esta tendência inicia-se, na generalidade dos países ocidentais, nos anos de 1970. Em Portugal, porém, este fenómeno nasce um pouco mais tarde, sendo o ano de 1982 considerado um marco "demográfico", pois foi o primeiro ano em que o Índice Sintético de Fecundidade, indicador que mede o número médio de filhos por mulher, ficou abaixo do valor 2,1, considerado o valor mínimo de substituição de gerações.

Desde o início da década de 1960 até meados da década de 1990, o número de nados-vivos em Portugal apresentou uma tendência geral de decréscimo, contrariada apenas nos anos de 1975/77, facto provavelmente associado ao retorno de população das ex-colónias, continuando depois a descer até 1995, ano a partir do qual se regista uma ligeira recuperação até 2000. A partir de 2001 volta a verifica-se uma tendência de decréscimo, atingindo-se em 2011 o valor mais baixo registado: 96 856.

Se observarmos a relação entre o número de nascimentos e o número de mulheres em idade fértil através das taxas de fecundidade por grupos etários, verificamos uma tendência de decréscimo da fecundidade, principalmente nos grupos etários abaixo dos 30 anos, e um aumento das taxas de fecundidade em grupos etários mais elevados. Este decréscimo das taxas de fecundidade, nomeadamente nas idades mais jovens, vai refletir-se no adiamento da maternidade, por um lado, e na redução do número médio de filhos por mulher, por outro lado.

Na década de 1960, o Índice Sintético de Fecundidade apresentava o valor de três filhos por mulher, valor que tem diminuído desde então. Na década de 1990, este indicador desceu para 1,41 crianças por mulher. Assistiu-se, posteriormente, a uma ligeira recuperação até 2000, ano a partir do qual volta a surgir uma tendência de decréscimo, atingindo em 2010 o valor de 1,37, um dos mais baixos dos países da UE e da OCDE.

Chegámos assim ao ponto em que a natalidade e a fecundidade em Portugal se caracterizam por:

- Diminuição das taxas de fecundidade, especialmente nos grupos mais jovens de mulheres;
- Adiamento da maternidade, principalmente do primeiro filho;
- Número médio de filhos por mulher muito aquém do necessário para que o processo de substituição de gerações se verifique, quase a atingir aquilo que os demógrafos referem o nível *lowest-low* (abaixo dos 1,3 filhos por mulher).

2. Mortalidade

Se olharmos para Portugal nos últimos 100 anos, e se excetuarmos os anos em torno da epidemia de gripe (1918), a evolução do número de óbitos tem um comportamento relativamente estável. No entanto, isto não reflete as profundas alterações ocorridas no modelo de mortalidade, nomeadamente:

- redução das taxas de mortalidade nas idades jovens, principalmente da mortalidade infantil e
- aumento da sobrevivência em idades avançadas.

A redução da mortalidade infantil representou uma das mais significativas alterações em Portugal nos últimos 50 anos. A importância do declínio da taxa de mortalidade infantil deriva não só do facto de termos atingido, atualmente, uma das mais baixas taxas do mundo, mas especialmente porque este valor foi atingido em tempo *record*. Em 1970, morriam em Portugal 55,5 crianças de menos de um ano por cada mil nados vivos. Quatro décadas depois a taxa de mortalidade infantil passou para cerca de três por mil.

Neste contexto de baixa mortalidade nas idades infantis, a mortalidade incide sobretudo sobre os indivíduos mais idosos: em 2010, 81,4 por cento dos óbitos ocorreram em idades iguais ou superiores a 65 anos, reduzindo-se a mortalidade precoce (menos de 65 anos de idade). Assim, verifica-se em Portugal o padrão típico na estrutura da mortalidade por idades, o qual se caracteriza por uma mortalidade ligeiramente mais elevada durante a infância, que vai diminuindo até alcançar um mínimo entre os cinco e os nove anos; a partir destas idades, começa a aumentar, no início de forma mais ligeira e depois de forma cada vez mais acentuada, com o avanço dos grupos etários.

A forte redução da taxa de mortalidade infantil, teve impactos na esperança média de vida à nascença da população portuguesa, cujo valor mais do que duplicou em menos de um século: em 1920, a esperança média de vida à nascença era de 35,8 anos e 40,0 anos, respetivamente para homens e mulheres, sendo, no final do século XX, de 73,03 anos e 79,69, respetivamente. Desde 1980 até 2010, a esperança média de vida à nascença aumentou 7,42 anos para ambos os sexos, tendo aumentado 7,95 anos para homens e 6,90 anos para mulheres.

Mas falar em maior duração média de vida não significa viver esses acréscimos de vida numa situação permanente de saúde. O indicador "Esperança de vida em saúde", que corresponde ao número médio de anos que se pode viver em condições máximas de saúde, mostra que atualmente, para Portugal, esse valor é de 58 anos no caso de um homem e cerca de 56 anos no caso de uma mulher (dados de 2009).

MOVIMENTOS MIGRATÓRIOS: O QUE ESTÁ A MUDAR NAS MIGRAÇÕES?

MIGRAÇÕES INTERNAS

Eduarda Marques da Costa
Professora Associada do Instituto de Geografia e Ordenamento do Território da Universidade de Lisboa

A temática das migrações internas tem sido abordada nas suas dimensões demográfica, económica e social. Ao falarmos de migrações internas, estamos a referir-nos ao movimento de população de um lugar para outro, dentro do território nacional.

Centrando a discussão sobre algumas questões fundamentais, podemos começar por apontar as motivações que explicam os movimentos internos. Entre estas contam-se razões de natureza económica, enquadrando-se aqui a busca de novas oportunidades de emprego e melhores condições de vida. Sobre os efeitos nas regiões de chegada ou de destino, podemos apontar factos positivos, como o aumento da disponibilidade de mão-de-obra, e outros negativos, como a concentração de população migrante com dificuldade de acesso à habitação. Nas regiões de origem, os efeitos são fundamentalmente negativos: perda de mão-de-obra, declínio ou despovoamento e envelhecimento populacional e declínio da provisão de bens e serviços.

A segunda questão relaciona-se com a expressão territorial destes fluxos. Recuando às décadas de 1950 e 1960, os movimentos foram sobretudo das áreas rurais para as metrópoles, mas na década de 1960, o movimento fez-se para as cidades de pequena e média dimensão, perdendo as grandes cidades peso relativo. Este processo foi-se reforçando durante a década de 1980 e ao longo da década seguinte. Os anos da primeira década do século XXI introduziram-nos um novo ciclo. Os movimentos em direção às pequenas e médias cidades do interior não são tão evidentes, pois a crise económica, a fuga do investimento estrangeiro e o encerramento das indústrias intensivas em trabalho, reforçadas pelo declínio demográfico e pelo envelhecimento, fizeram com que estas cidades perdessem importância relativa.

Por fim, não podemos deixar de refletir sobre a crise e os seus possíveis efeitos nos futuros fluxos de mobilidade interna. A ideia associada à possível recondução da população qualificada das grandes cidades para as áreas de baixa densidade do interior do país pode não ter consistência suficiente de modo a constituir-se como uma tendência forte. O contexto de eficiência e racionalização dos serviços de interesse geral, onde se incluem os serviços públicos, levam ao encerramento de unidades e à redução de emprego e, neste contexto, a crise parece assim surtir muito mais efeito no reforço dos movimentos para o exterior do que para o interior do país.

AS FONTES DE INFORMAÇÃO E O ESTUDO DAS MIGRAÇÕES

Gilberta Pavão Nunes Rocha
Investigadora no Centro de Estudos Sociais da Universidade dos Açores

Os conceitos relativos à mobilidade são simples (em Portugal INE – meta-informação) e podem dividir-se em i) movimentos internacionais, temporários e permanentes: emigração e emigrante; imigração e imigrante; ii) movimentos internos. Apesar disso, existe alguma complexidade em situar e avaliar a caraterística do migrante num dado momento do tempo num determinado território. Refira-se, como exemplo, e no que respeita ao emigrante, a facilidade de saída e reentrada não registada ou o regresso, e relativamente ao imigrante os seus vários estatutos.

Existem também dificuldades associadas às fontes de informação decorrentes da diversidade do registo e disponibilização dos dados, em grande parte dependentes das formas de recolha, organização e disponibilização dos dados, que não são sempre coincidentes entre os vários países, apesar da melhoria sistemática de normalização, em especial no contexto europeu. Com efeito, a variabilidade da informação nos vários espaços nacionais e ao longo do tempo é significativa e está dependente de fatores materiais (capacidades tecnológicas); níveis de desenvolvimento e até de conceções ideológico-políticas, favoráveis ou desfavoráveis à entrada de não nacionais ou saída de nacionais, situações que são suportadas por diferentes políticas migratórias.

Atendendo de forma mais específica às Entidades envolvidas no Sistema Estatístico Nacional (SEN), destaca-se o INE, já que esta é a entidade que em Portugal é responsável pela disponibilização da informação estatística e pelos conceitos que lhe estão subjacentes, neste caso apoiada pelo Conselho Superior de Estatística, no qual estão representadas outras entidades oficiais. Para a produção de informação releva-se a colaboração com o Serviço de Estrangeiros e Fronteiras (SEF), no caso da imigração, e com a Direcção-Geral dos Assuntos Consulares e das Comunidades Portuguesas do Ministério dos Negócios Estrangeiros (MNE), para a emigração.

Os dados são disponibilizados fundamentalmente i) nos Censos da População – imigração (*stock* de população estrangeira) e serve igualmente para o conhecimento dos movimentos internos, tendo como principal constrangimento a sua periodicidade decenal; ii) nas Estatísticas Demográficas, para a emigração e imigração, e através do Inquérito aos Movimentos Migratórios de Saída – emigração (IMMS) e Inquérito ao Emprego, que serve também os movimentos internos e que apesar das melhorias recentes na sua representatividade global continua a apresentar deficiências para estudos de âmbito regional.

PORTUGAL: NOVAS TENDÊNCIAS DAS MIGRAÇÕES INTERNACIONAIS

João Peixoto
Professor Associado do instituto Superior de Economia e Gestão da Universidade Técnica de Lisboa

As migrações internacionais sempre estiveram entre os fenómenos mais difíceis de prever na demografia. O facto de dependerem de muitos factores de natureza conjuntural, como os ciclos económicos, as políticas de migração e alguns eventos inesperados (sociais, económicos, políticos, ambientais...), torna complexa a sua evolução. Por essa razão, os cenários ligados às migrações internacionais costumam ser muito frágeis nas projecções demográficas.

O caso português é exemplar da relativa volatilidade das migrações. Nas últimas décadas, o país conheceu várias oscilações profundas dos fluxos, que só em parte seguiram uma tendência lógica. Assim, ao êxodo migratório dos anos 60 do século XX seguiu-se a interrupção das saídas, com a crise desencadeada pelo choque petrolífero em 1973; a súbita entrada proveniente das ex-colónias em 1974-75; o retorno de emigrantes até meados dos anos de 1980; o longo período de imigração estrangeira a partir de finais da década de 1970; e o recrudescimento da emigração em meados dos anos de 1980 e a partir da primeira década do novo século.

Actualmente, Portugal vive de novo numa encruzilhada migratória. Depois de uma longa expansão da imigração, correspondente à modernização económica e social do último quartel do século XX, de novo emergiram fluxos de saída significativos. Entendeu-se algumas vezes que a modernização e o crescimento tornariam o país num magnete para os fluxos internacionais, encerrando-se de vez o ciclo da emigração. Mas esqueceu-se que nas sociedades modernas os fluxos de mobilidade se multiplicam, podendo originar contextos de entrada e saída simultânea; que o crescimento pode ter fim, ocorrendo períodos de crise e recessão; e que a integração no espaço europeu pode tornar alguns países mais centrais e outros periféricos.

Em 2012 o país conhece mais uma vez um saldo migratório internacional negativo. Em parte por causa do aumento generalizado das habilitações literárias, assiste-se a uma vaga sem precedentes de emigração qualificada. Devido a uma persistente dificuldade de entrada dos jovens no mercado de trabalho, a emigração de jovens adultos é volumosa. Dada a diminuição das entradas migratórias, a sustentabilidade demográfica está ameaçada. Emergem assim novos desafios que exigem mais investigação e novas respostas.

QUE PORTUGAL, SEGUNDO OS CENSOS DE 2011?

UMA SOCIEDADE EM TRANSFORMAÇÃO "FORÇADA"/ACELERADA

Fernando Casimiro
Coordenador do Gabinete dos Censos do Instituto Nacional de Estatística

Desde 1981 que a população residente tem vindo a crescer, embora a ritmos decenais diferentes. Depois da perda de população observada em 1970 (menos cerca de 250 mil pessoas do que em 1960), Portugal registou ritmos diferentes de crescimento (14 por cento, 0,35 por cento, 5 por cento e 2 por cento respetivamente em 1981, 1991, 2001 e 2011). Portugal passou a ser um País de imigração em 2001 e assim se manteve em 2011, porque o crescimento da população verificado (cerca de 451 mil pessoas em 2001 e 200 mil pessoas em 2011) deveu-se maioritariamente ao saldo migratório (80 por cento em 2001 e 91 por cento em 2011).

O litoral concentra e acumula população, embora a distribuição relativa regional esteja estável. Em 2011, algumas cidades "resistentes" do interior (Bragança, Viseu, Castelo Branco, Évora e Beja) apresentam variações positivas de população, a maior das quais foi Viseu, com 6,2 por cento.

Nos últimos 30 anos perdemos cerca de um milhão de jovens/crianças e ganhámos cerca de 900 mil idosos, o que fez subir o índice de envelhecimento para 128 idosos por cada 100 jovens. Em 1981, este índice estava nos 45, subindo para 68 em 1991 e 102 em 2001. Uma consequência deste "percurso" é a queda do índice de sustentabilidade potencial [relação entre a população potencialmente ativa (15-64) e a população idosa (65 ou mais)] que não pára: em 2011 está em 3,4 pessoas potencialmente ativas por idoso; em 2001 estava nas 4,1 e em 1981 nas 5,5.

Salienta-se o facto de a população com ensino superior ter quase duplicado na última década e de todos os municípios terem registado crescimentos desta população superiores a 20 por cento, relativamente a 2001.

Temos uma das taxas mais elevadas da Europa na habitação própria de residência habitual, cerca de 74 por cento. Mas o crescimento do parque habitacional foi impulsionado sobretudo pelos alojamentos de residência secundária e vagos que na última década aumentaram cerca de 23 por cento e 35 por cento respetivamente, enquanto os de residência habitual cresceram 12 por cento.

Em resumo:

- Crescemos à custa da imigração
- Estamos significativamente mais velhos
- Concentramo-nos cada vez mais no litoral
- Estamos bastante mais instruídos
- Vivemos em famílias mais pequenas e cada vez mais unipessoais
- Temos mais alojamentos vagos e de residência secundária
- Somos maioritariamente proprietários dos alojamentos onde residimos e dispomos das infra-estruturas básicas

Mas o decréscimo do índice de sustentabilidade potencial não nos levará a um conflito de gerações?

O QUE ESPERAR DO FUTURO? IMORTALIDADE? DESCENDÊNCIAS NULAS?

Maria Filomena Mendes
Demógrafa

A imortalidade, ambição inalcançável mas muito desejada, é tema que sempre suscitou o interesse da humanidade. Nunca até hoje vivemos tantos anos, com saúde e sem dependência.

Existirá um limite para o futuro da esperança de vida à nascença? Ou o progresso da ciência e da tecnologia no domínio da biologia e da medicina poderão determinar nova transição demográfica que alterará num futuro próximo o atual limite? Qual a idade extrema da vida humana?

Em 1991, Jacques Vallin interrogava-se, face a uma esperança de vida de 75 a 80 anos, se o ser humano estaria no final de um período de transição, a concluir uma espetacular revolução demográfica iniciada alguns séculos atrás (Adolphe Landry) ou se, pelo contrário, deveria esperar, no futuro, progressos análogos aos verificados ao longo do último século.

No limiar do século XXI morre-se, no Japão, com uma idade média de 80 anos (homens) e 86 anos (mulheres) (WPD, PRB; com idades médias de 2012). Há um século, a esperança de vida em Portugal era cerca de 40 anos para as mulheres e 35,8 anos para os homens (INE); atualmente, os valores estimados rondam os 76 e 82 anos, respetivamente. No espaço de 100 anos, duplicámos o valor da nossa esperança de vida, ganhando 40 anos, em média. Permitirá uma grande evolução científica e tecnológica, na área da biologia e da medicina, adiar continuadamente a senescência com esperanças de vida de 120 anos, ou mesmo de 160 anos no pressuposto de nova duplicação do valor da esperança de vida? Embora tais limiares não sejam plausíveis num horizonte temporal previsível, importa salientar que os valores escolhidos nos cenários de mortalidade, na generalidade das projeções de população realizadas no passado, terem ficado sempre aquém dos valores mais tarde observados.

Independentemente da longevidade que venhamos a atingir, não iremos deixar de ter filhos, apesar de o número de filhos que cada mulher deixa na população ter vindo a baixar continuamente. No entanto, descendências nulas só seriam possíveis se fôssemos imortais. O valor do índice de fecundidade para Portugal é, atualmente, dos mais baixos do mundo, próximo de 1,3 filhos por mulher. Valores inferiores só se encontram na Coreia do Sul, Hungria e Bósnia-Herzegovina (1,2), ou em Taiwan e na Letónia (1,1).

O principal tema de reflexão centra-se no facto de o número de filhos estar a ficar cada vez mais distante (ou não) daquele que é tido como ideal.

As tomadas de decisão de fecundidade dos casais são função das suas preferências e das suas circunstâncias de vida que condicionam e modificam as suas perceções do "ideal" ao longo do período fértil. A possibilidade de os casais poderem ajustar a fecundidade realizada à desejada é uma conquista em que assenta a construção da sociedade do futuro.

Pensar no presente a sociedade do futuro é fundamental para estarmos preparados e nos adaptarmos a uma nova realidade em que nascem cada vez menos bebés, em que adiamos cada vez mais o momento da morte e em que morremos quase todos mais próximo dessa idade limite.

O QUE É O ENVELHECIMENTO DEMOGRÁFICO?

Maria Luis Rocha Pinto
Investigadora em Governança, Competividade
e Políticas Públicas da Universidade de Aveiro

Nos últimos anos muito se fala de envelhecimento, quer a nível nacional, quer europeu. O que é então o envelhecimento demográfico ou o envelhecimento de uma população?

De uma forma simples, pode dizer-se que o envelhecimento de uma população corresponde, em simultâneo, à diminuição do peso dos jovens e ao aumento do peso dos idosos numa qualquer população. Em demografia, em termos mundiais, para permitir comparações, são considerados jovens os menores de 15 anos e idosos os indivíduos de 65 e mais anos. É óbvio que podem e são realizados estudos com outros limites de idade, quando se pretende aprofundar uma qualquer realidade ou fenómeno.

Portugal situa-se, no presente, como um dos países mais envelhecidos do mundo, o que significa que, apesar de nos situarmos nessa posição, não estamos sós nesse processo. Mas o que tem provocado esse envelhecimento? Por um lado, a rápida diminuição da fecundidade, cujo declínio sustentado, já ao longo de três décadas, tem provocado uma diminuição percentual e também em números absolutos dos menores de 15 anos, apesar do total da população não ter diminuído. Por outro lado, o aumento da esperança de vida, ou seja, a diminuição da mortalidade, que também foi relativamente rápida, tem provocado o inverso, ou seja, um aumento do número de idosos e também o aumento da sua percentagem na população total.

Uma outra variável demográfica tem um papel importante no envelhecimento da população: as migrações. Considerando o todo nacional, a emigração, ao fazer sair do país principalmente indivíduos em idade ativa, provoca um envelhecimento da população, já que a percentagem de idosos torna-se mais expressiva, enquanto o seu efeito sobre os mais jovens é menos expressivo, dado que este efeito se mistura, recentemente, com o referido declínio rápido da fecundidade. Por sua vez, a imigração, ao trazer para o país indivíduos em idade ativa, provoca algum rejuvenescimento, tanto porque faz com que proporcionalmente os mais idosos diminuam o seu peso na população total, como porque ao trazer indivíduos em idade de procriar ajuda a que a fecundidade não baixe tanto, principalmente porque a imigração em Portugal, nomeadamente nas décadas de 1990 e na primeira década do nosso século, foi bastante equilibrada sob o ponto de vista do rácio entre homens e mulheres.

Viver mais e melhor sempre foi um desejo humano, a par de um desejo de liberdade de opção de vida relativamente à procriação. O envelhecimento da população coloca às sociedades atuais desafios importantes relativamente a estas aspirações. Mas o envelhecimento é uma questão que começa por ser demográfica e cujos contornos corretos importa conhecer, para que as questões de sociedade possam ser equacionadas pela sociedade, todos nós, de forma informada. Ou seja, começando por perceber do que estamos a falar, conhecendo os indicadores demográficos que nos permitam tomar posição.

MORTALIDADE, FECUNDIDADE E ENVELHECIMENTO. O QUE ESPERAR NO FUTURO? (TENDÊNCIAS)

Paulo Machado
Professor Auxiliar da Faculdade de Ciências Sociais
e Humanas da Universidade Nova de Lisboa

1. Na demografia de um povo o futuro já foi decidido

Na vida coletiva o futuro está sempre envolto em incerteza. A evolução demográfica é uma das poucas exceções. Assim:

- A redução no número médio de filhos por mulher não se reverte de um dia para o outro;
- Os ganhos na esperança de vida só muito excecionalmente serão anulados;
- Os imigrantes que não se fixaram em Portugal não regressarão com idade avançada;
- Mas muitos dos emigrantes que saíram do País ainda jovens ou em plena idade ativa regressarão um dia;

Estes exemplos demonstram que a população portuguesa é hoje, em termos da sua dimensão, distribuição no território, número de crianças e jovens, adultos ou idosos, o que os nossos avós e pais decidiram que ela fosse: mesmo sem terem consciência disso! Mas o futuro a 30 anos será também aquele que nós decidirmos hoje.

2. Crescer ou envelhecer: dilema que não soubemos interpretar

Uma população que não apresenta um crescimento sustentador da renovação geracional está condenada a envelhecer. Faltam em Portugal os homens e as mulheres que poderiam ter evitado que os mais velhos de hoje estejam menos acompanhados e que os de amanhã venham a estar ainda menos apoiados pelas gerações mais novas.

A questão social do envelhecimento não deve ser entendida pela existência de muitos velhos, mas ser encarada como resultante da falta de gente nova. Quando nos referimos ao envelhecimento demográfico há que subentender uma estrutura social com dificuldade em sustentar um processo social de transmissão de riqueza, de saber, de cultura, de afetos, de conhecimento e experiência.

3. Constrangimentos e oportunidades diante do envelhecimento

Um forte constrangimento nas sociedades que estão submetidas à ferocidade da "crise" consiste precisamente em perceber como vamos poder continuar a providenciar, e se possível generalizar ainda mais, os níveis de bem-estar proporcionados aos mais velhos.

Um outro constrangimento em torno do envelhecimento prende-se com a inexistência de um modelo de vida para uma parte crescente da população. Com pouco dinheiro e com muito tempo e saúde para desenvolver atividades, os mais velhos poderão transformar-se num grupo social recessivo diante das instituições e com capacidade (política) de as transformar, mas sem recursos para efetivar essas transformações.

As oportunidades que se vislumbram num cenário de envelhecimento demográfico, acompanhado de um gradual empobrecimento, resumem-se a uma: a oportunidade de pensar uma sociedade sustentada em valores diferentes, menos materiais e porventura mais altruístas e contemplativos, centrados sobre a pessoa e as suas circunstâncias. No fundo, uma sociedade que ainda não inventámos.

POUCOS E VELHOS MAS COM FUTURO

Paulo Chitas
Jornalista

Mesmo com um aumento "espetacular" da fecundidade, a população portuguesa em 2030 declinará face à atualidade e o envelhecimento demográfico – que relaciona as parcelas mais idosa e mais jovem dos que residem no país – acentuar-se-á. Esta não terá sido a evidência mais controversa das sessões de Ciência Traduzida do encontro "Portugal no Futuro", organizado pela Fundação Francisco Manuel dos Santos em setembro de 2012, mas a divulgação de projeções realizadas para o debate consagraram-na. Deixou de ser um mito: vamos ser menos e ainda mais idosos.

Para os que, como eu, acreditavam que a imigração podia ter um efeito atenuador do envelhecimento, os resultados de um dos cenários apresentados vieram contrariar essa perceção. Emulando a estrutura dos saldos migratórios positivos da primeira década deste século, o cenário mostra que mesmo assim seremos, em 2030, uma sociedade mais envelhecida e uma comunidade com menos indivíduos. O facto de haver um número de saídas de pessoas em idade fértil superior ao de entradas é a principal justificação para que os movimentos migratórios não sejam a "almofada" demográfica esperada.

Também um canudo deixará de significar uma garantia de emprego. Esta foi uma das ideias mais fortes do encontro, onde ficou demonstrado que as formações avançadas de "banda estreita" terão um futuro menos risonho, por oposição às de grande capacidade analítica, mais transversais e interdisciplinares. As tarefas, mesmo complexas, que podem ser mimetizadas por autómatos e geridas por computadores, acabarão com milhares de empregos; mas os processos não esquematizáveis, que exigem capacidade de análise e atividades pouco rotineiras, mesmo que pouco qualificados, continuarão a gerar empregos. Certo é ainda que o elevado prémio conferido aos trabalhadores com o ensino superior, uma das características do mercado de trabalho português nas últimas décadas, tem tendência para diminuir e progressivamente convergirá para a média da União Europeia.

Qualificar a população não deixará, no entanto, de ser uma exigência para as gerações vindouras. Em Portugal, o abismo existente entre os que ganham muito e os que ganham muito pouco é dos maiores da Europa. O seu estreitamento só será possível pela aposta na qualificação dos indivíduos, o bilhete de saída da base da pirâmide social.

Reinventar o modo como encaramos a velhice? Sim. Primeiro, porque assistimos a um deslizamento das idades que definem esse período da nossa vida; depois, porque o número de idosos com saúde e tempo aumentou exponencialmente. Os velhos são um recurso, não são um fardo. E a condição de reformado ou de pensionista não tem de acompanhar necessariamente a de idoso, assim como a de ativo não tem de se circunscrever aos grupos etários que vão dos 20 aos 60 anos. Trabalho e reforma, educação e procriação são processos cujos limites, bem inscritos num modelo de vida clássico, têm hoje tendência para se diluir ao longo de percursos de vida mais longos, fruto da melhoria das condições de saúde da população. Também o casamento, tradicional chapéu-de-chuva da família e da procriação, tende a perder o seu papel de aglutinador das células sociais – uma família tenderá, cada vez mais, a assumir formas múltiplas e diversas.

Reinventar o modo como ocupamos o espaço e o utilizamos parece ser também uma necessidade imperiosa. Será recuperável a tendência, iniciada nos anos da década de 1970, para a consolidação de uma rede de cidades médias, cujo crescimento populacional e económico, potenciado por investimentos em infra-estruturas e equipamentos públicos, se circunscrevia ao *hinterland* regional? Num período de crise económica, poderá o declínio das cidades-eucalipto – expressão baseada na imagem das cidades que "secam" a população das regiões limítrofes – ser atenuado pelo "regresso ao campo"? Ou não passará a contra-urbanização de uma moda que nunca chegará a tendência, remetendo definitivamente o interior do país para o estatuto de reserva de recursos ambientais, energéticos e agrícolas?

Preocupados, determinados ou irreverentes, os participantes que desfilaram nas seis sessões dos encontros de Ciência Traduzida vestiram várias peles. Mas nenhum se eximiu a viver o presente – e a pensar o futuro.

FECHO

DISCURSO DE ENCERRAMENTO (EXCERTO)

Alexandre Soares dos Santos
Presidente do Conselho de Curadores da Fundação Francisco Manuel dos Santos

Se, com esta grande reunião, tivermos conseguido fomentar a discussão e estimular o conhecimento sobre a realidade portuguesa e, assim, contribuir para o desenvolvimento da nossa sociedade e para o reforço dos direitos dos cidadãos... então, a missão terá sido cumprida.

Uma verdadeira democracia exige trabalho e a existência de uma sociedade civil. A sociedade civil e o Estado precisam um do outro e, ao desenvolverem-se juntos, tornam-se mutuamente mais fortes. Uma sociedade civil activa – composta pelas redes de relações entre actores e grupos sociais – constrói coesão social, na medida em que reforça a partilha de valores e interesses.

Todos os membros de uma sociedade devem estar empenhados neste bem comum e procurar contribuir, na medida das suas possibilidades, para o seu desenvolvimento. Portugal precisa desesperadamente de uma sociedade civil forte e inclusiva, com uma base independente, que ponha em relação os cidadãos e as suas associações e grupos.

Uma sociedade civil activa é condição indispensável à existência de uma democracia aberta, participada e saudável. A democracia implica direitos e deveres. Implica responsabilidade. E, na sua origem, a responsabilidade nasce do casamento entre a independência e a sabedoria. É, em suma, o exercício da independência – ou autonomia – com sapiência.

Creio que a situação terrivelmente dura e dolorosa em que muitos portugueses se encontram hoje é o corolário de muitos erros políticos. De uma tremenda irresponsabilidade, mas também de um excessivo conformismo e de uma quase apatia por parte da sociedade civil em geral e das elites em particular. As elites têm, a meu ver, a responsabilidade acrescida que lhes advém do seu poder de influência, da sua capacidade de intervir publicamente, reagir e contribuir para a mudança social e política. A influência das elites pode ser decisiva na forma como uma sociedade aceita e se mobiliza para novas situações e desafios. Quer sejam governativas, económicas, religiosas ou intelectuais, as elites são, devem ser, agentes transformadores da sociedade como um todo.

Temos vivido demasiadamente na lógica do "cada um por si". Falta-nos solidariedade, espírito comunitário e capacidade de unir esforços na procura de soluções. Tudo isto nos falta, enquanto sociedade, porque nos faltam independência e liberdade. Há em Portugal um medo que precisa de ser expurgado porque não há verdadeira democracia sob a tirania do medo, seja ele de que natureza for. É com pesar que constato que falta a Portugal e aos portugueses uma cultura de vigilância, de debate, de livre discussão de ideias e soluções. Ao contrário dos países anglo-saxónicos, nas nossas escolas não se ensinam a arte e o gosto pela argumentação, pela partilha de pontos de vista diferentes.

Em Portugal, confunde-se discussão com conflito, diferendo com antagonismo de posições. Acredito que ninguém deve demitir-se da intervenção, da participação, do exercício consciente e livre da sua cidadania. O sistema da democracia representativa que temos não pode escusar-nos da democracia participativa. Dir-me-ão que, porventura, desconheço os problemas dos cidadãos anónimos, a insustentabilidade das suas condições de vida actuais, que o pensamento é um luxo a que não pode entregar-se quem não tem a sobrevivência garantida. Sei bem que a pobreza e as dificuldades económicas excluem muitos cidadãos da participação, mas também sei que o futuro só existe enquanto conceito. E que o futuro ou começa hoje ou não existirá.

Todos sabemos como as decisões estruturais da nossa vida se tomam cedo para produzir efeitos no médio-longo prazo. É também assim com os países. Se queremos que a próxima geração de portugueses ainda tenha um Portugal onde possa fazer a sua vida, temos de tomar decisões aqui e agora. Enquanto povo, temos reflexões para fazer, decisões para tomar, escolhas para assumir. O conhecimento é a melhor preparação, o debate e união são os nossos melhores aliados contra a incerteza que sufoca o nosso país. Que saibamos aprender a lição de responsabilidade que julgo ser o principal ensinamento desta crise para a nossa sociedade. Ou todo o sofrimento dos nossos co-cidadãos terá sido em vão!

Em 1934, o ano em que nasci, aquele que foi talvez o maior poeta português – Fernando Pessoa – no poema com que encerrou a *Mensagem*, escrevia, desencantado, que sentia "Portugal a entristecer". "Ninguém sabe que coisa quer. / Ninguém conhece que alma tem, / nem o que é mal nem o que é bem." Então, como hoje, Portugal era nevoeiro. Então, como hoje, era preciso dar a volta, resistir, agir. É a hora. Estamos todos convocados.

Agradecimento

A Fundação Francisco Manuel dos Santos agradece a todos os que participaram no Encontro "Presente no Futuro – Os Portugueses em 2030".

Parceiros Institucionais:

- Accenture
- Câmara Municipal de Lisboa
- Fundação para a Ciência e a Tecnologia
- Fundação para a Computação Científica Nacional

Media partners:

- TVI
- Rádio Comercial
- M80
- Cidade FM

Apoios:

- Fnac
- Instituto Nacional de Estatística
- National Geographic
- Olá
- Pingo Doce
- Recheio
- OJE

Organização:

- Multilem
- O Escritório / Mola Ativism
- Initiative Media
- View Isobar
- Lift Consulting
- Filmbrokers